UN MEMBRE PERMANENT
DE LA FAMILLE

DU MÊME AUTEUR CHEZ ACTES SUD

Certaines de ces nouvelles ont été précédemment publiées dans les revues suivantes : *Conjunctions* ("Un membre permanent de la famille") ; *Esquire* ("Les Outer Banks") ; *Harper's* ("Fête de Noël") ; *Télérama* ("Perdu, trouvé", traduit par Pierre Furlan) ; *Narrative* ("Perdu, trouvé") ; *Salmagundi* ("Big Dog") ; *Yale Review* ("Blue", "Transplantation").

"Le perroquet invisible" est paru pour la première fois dans *Fighting Words* (Dublin, 2012), anthologie à tirage limité réalisée sous la direction de Roddy Doyle.

"Lettres anglo-américaines"
série dirigée par Marie-Catherine Vacher

Titre original :
A Permanent Member of the Family
Éditeur original :
HarperCollins Publishers, New York
© Russell Banks, 2013

RUSSELL BANKS

Un membre permanent de la famille

nouvelles traduites de l'américain
par Pierre Furlan

ACTES SUD

Pour Chase,
et en mémoire de Kili (2000-2013).

ANCIEN MARINE

APRÈS ÊTRE RESTÉ ÉVEILLÉ une heure dans son lit, Connie finit par repousser les couvertures et se lever. Il fait encore nuit. Pieds nus, il frissonne dans son boxer et son tee-shirt. Il ressent une légère gueule de bois – une bière de trop la veille, au 20 Main. D'un geste sec il allume la lampe de chevet puis il remonte le thermostat de treize à dix-huit degrés. La chaudière pousse un soupir rageur, la soufflerie démarre et une odeur de pétrole se répand dans tout le mobile home. Connie tapote son sonotone pour bien le placer dans son oreille et jette un coup d'œil par la fenêtre de la chambre. La neige tombe sur le gazon, sous le pâle faisceau d'un réverbère. C'est la deuxième semaine d'avril, il devrait pleuvoir, mais Connie est content de voir qu'il neige. Il sort du tiroir de la table de chevet son pistolet de service, un Colt de calibre 11,43, vérifie qu'il est bien chargé et le pose sur la commode.

Il se rase, s'habille, part en ville dans son pick-up, et quand il arrive, neuf centimètres de neige lourde et humide se sont accumulés sur le sol. Les déneigeuses municipales et les camions de salage sont déjà sortis. Les baies vitrées du restaurant M & M sont si embuées que depuis la rue on ne parvient pas à distinguer la demi-douzaine d'hommes et les deux femmes qui, à l'intérieur, prennent leur petit-déjeuner et échangent à mi-voix des bribes de conversation.

Connie préfère s'asseoir tout seul au fond de la salle où il se met à lire les pages sport du *Press-Republican* de Plattsburgh. Les autres clients de ce restaurant, il les connaît tous personnellement depuis presque toujours. Ils vont tous se rendre au travail. Lui, non. Il se désigne comme le Retraité, bien qu'il n'ait jamais pris officiellement de retraite d'aucune sorte et que personne d'autre ne l'appelle ainsi. Il y a huit mois, Ray Piaggi l'a libéré de ses attaches avec son entreprise de ventes aux enchères, la Ray's Auction House. Libéré de ses attaches. Comme s'il était un ballon gonflé à l'hélium au bout d'une ficelle, raconte-t-il. Et il ajoute parfois qu'on peut voir que l'économie va mal quand même les commissaires-priseurs commencent à réduire leurs effectifs, laissant ainsi entendre que ce n'est pas sa faute s'il est sans emploi, s'il en est réduit aux bons alimentaires et à l'assistance médicale, s'il vivote d'aide sociale et d'indemnités de chômage en passe de s'arrêter bientôt. C'est la faute de l'économie. Et la faute de ces mecs, quels qu'ils soient, censés s'en occuper.

Connie a déjà commandé son petit-déjeuner habituel – œufs brouillés, rondelles de saucisse, muffin anglais grillé et café – lorsque Jack, son fils aîné, passe la porte. Jack salue de la tête, sourit aux clients comme s'il se présentait aux élections, donne une petite tape sur l'épaule de Vivian, la serveuse. Puis il enlève son lourd blouson aviateur gris et son chapeau d'hiver d'officier de police avant de les suspendre à une patère à côté du blouson Carhartt et de la cagoule en polaire vert forêt de son père. Il s'assoit ensuite face à lui et à la porte.

"Et moi qui commençais à me dire que le moment était venu de ranger tout ce barda", dit Jack.

Connie dit : "Un de mes sonotones à la noix vient de m'annoncer : « batterie faible ». Comme si j'étais pas foutu de savoir qu'elle est usée et que c'est pour ça que j'ai pas de réception. Un type de mon âge a toujours les batteries à plat, bordel. J'ai pas besoin qu'un sonotone vienne me le dire.

— Ton sonotone te parle ?

— C'est un truc pour me faire acheter des piles avant que j'en aie vraiment besoin. Je vais sans doute m'en acheter cinquante par an, une par semaine, rien que pour que ce con de sonotone arrête de me dire que ma batterie est faible.

— Sérieusement, papa, ton sonotone te parle ? T'entends des voix ?

— Ouais, je suis un vrai schizo. Non, je parle de ces nouveaux sonotones digitaux que Medicaid* veut pas rembourser. Plus de six mille dollars ! J'aurais pas dû écouter ce taré d'audioprothésiste et j'aurais dû acheter un modèle bon marché, remboursé en partie. Avec celui-là, tu as une petite dame à l'intérieur qui te chuchote que ta batterie est faible. Elle te dit aussi sur quel canal tu te trouves. Dans ce machin, il y a cinq canaux : pour écouter de la musique, pour les moments calmes, pour les sons venant de derrière toi, et puis ce qu'ils appellent le canal maître. Le canal maître, c'est pour la conversation. Et il y en a encore un pour le téléphone. Pour

---

* Assurance médicale publique pour les personnes à faibles ressources financières. *(Toutes les notes sont du traducteur.)*

moi, ils sont tous pareils, sauf celui du téléphone. Avec celui-là, si t'es pas vraiment au téléphone tu te croirais dans une putain de chambre de réverbération. Mais il m'aide quand même quand je suis sur un portable."

Vivian pose devant Connie son plat et son café. "Rien d'autre, Conrad ?

— Je t'en prie, Viv, bon sang, ne m'appelle pas Conrad. Il n'y a que mon ex-femme qui m'appelait Conrad, et, heureusement, ça fait presque trente ans que je l'entends plus d'elle.

— Je plaisantais, dit-elle sans le regarder. Connie", ajoute-t-elle. Elle prend la commande de Jack – flocons d'avoine avec du lait et une tasse de café –, puis repart vers la cuisine. Pendant quelques secondes, tandis que son père s'attaque à son petit-déjeuner, Jack l'étudie. Il y a douze ans que Jack est officier de la police d'État et qu'il étudie le comportement des gens, même celui de son père âgé de soixante-dix ans, avec un détachement calme, instruit par l'expérience. "Tu sembles pas mal agité ce matin, papa. Tout va bien ?

— Ouais, bien sûr. Cette histoire de Conrad, c'était juste pour charrier Viv. Mais c'est vrai, tu sais, il n'y a que ta mère qui m'appelait comme ça. Elle le faisait quand elle voulait me donner des ordres ou me critiquer. Comme si elle avait peur que je profite d'elle si elle devenait assez gentille pour m'appeler Connie.

— C'est sans doute ce que tu aurais fait.

— Ouais, bon, ta mère s'est tirée avant que j'aie eu la moindre occasion de le faire. Fine mouche. Elle a démissionné avant que je puisse la virer.

— C'est une façon de voir les choses.

— Arrête de revenir là-dessus, Jack. Elle ne voulait pas de ce boulot-là, et moi si. Au bout du compte, tout le monde, y compris vous, les garçons, a eu ce qu'il lui fallait.

— T'as raison, papa. T'as raison." Cette conversation, ils l'ont déjà eue cent fois.

Vivian pose les flocons d'avoine et la tasse de café devant Jack et s'enfuit aussitôt comme si Connie l'effrayait un peu – façon de se moquer de lui. Jack lance dans son sillage un sourire aimable et prend la section principale du journal qu'il secoue pour la déplier avant de parcourir les gros titres en mangeant. Connie se replonge dans la page des sports.

Jack dit : "Il semblerait qu'on ait passé le mois de mars sans nouveau braquage de banque. Peut-être notre braqueur est-il parti dans le Sud, comme Butch Cassidy et le Sundance Kid." Il ouvre la première page et passe aux nouvelles nationales.

Au bout de quelques instants, sans lever les yeux, Connie demande : "Est-ce que tu as parlé à Buzz ou à Chip, récemment ?"

Jack regarde son père comme s'il attendait la suite, puis répond : "Non, pas ces jours-ci.

— Ça va toujours, chez eux, en ce moment ?

— Plus ou moins. Autant que je sache.

— Leur femme et leurs gosses ?

— Ouais, toujours pareil, autant que je sache. Tout va bien. Pas de nouvelles, bonnes nouvelles, papa.

— Je serais pas fâché d'avoir quelques nouvelles, bonnes ou mauvaises, en fait.

— Ils sont occupés, papa. Pour moi, c'est plus facile, j'ai pas de femme ni d'enfants. En plus, Buzz a ce long trajet en voiture, aller-retour jusqu'à Dannemora tous les jours. Chip suit des cours de justice pénale le soir à l'institut universitaire de North Country, à Ticonderoga. Et ils habitent tous les deux à perpète, là-bas à Keeseville. Faut pas le prendre pour toi, papa.

— Je le prends pas pour moi", dit Connie. Et il retourne à la page des sports.

Jack termine ses flocons d'avoine, pousse son bol de côté et entoure la tasse de café de ses grandes mains rouges pour les réchauffer. Il réfléchit. Demande brusquement : "Ça ne t'a jamais semblé un peu bizarre que nous ayons choisi tous les trois des métiers de maintien de l'ordre ? Parfois je m'interroge. Bon, parce que toi, t'étais quand même pas dans la police. Pas comme Chip et moi. Ni gardien de prison comme Buzz. Toi, tu t'es occupé de ventes aux enchères.

— Ouais, mais n'oublie pas que je suis un ancien marine. Et on n'est jamais un *ex-marine*, Jack. Donc c'est le modèle selon lequel vous avez été élevés, vous les garçons, le modèle du corps des Marines des États-Unis d'Amérique, surtout après le départ de votre mère. Si mon père avait été un ancien marine, j'aurais sans doute moi aussi fait du maintien de l'ordre. J'ai toujours regretté qu'aucun de vous, les gars, ne soit devenu un marine.

— Papa, tu peux pas regretter ce qu'un autre a fait ou n'a pas fait. Seulement ce que toi t'as fait ou pas."

Connie sourit et répond : "Tu vois, c'est exactement le genre de chose que dirait un ancien marine !"

Jack lui sourit à son tour. Le vieux l'amuse. Mais il l'inquiète aussi. Le vieux est dans le déni pour ce qui est de ses finances, estime Jack. Il doit être plus que fauché. Jack se lève, va au comptoir et tente de payer à Vivian leurs deux petits-déjeuners, mais Connie remarque ce qu'il est en train de faire. Il bondit de son siège et se glisse entre son fils et la serveuse, brandissant sous le nez de Vivian un billet de vingt dollars avec lequel il insiste pour payer les deux repas.

Vivian hausse les épaules et prend le billet de Connie, ne serait-ce que pour l'éloigner de son visage.

Elle lui rend sa monnaie, puis le père et le fils retournent à la table et remettent blousons, chapeau et passe-montagne. "Charge-toi du pourboire, dit Connie. Laisses-en un assez gros pour qu'on soit à égalité et que Vivian finisse par me pardonner d'être aussi con.

— Papa, t'es sûr que ça va, pour toi? Je veux dire financièrement. Ça doit forcément être un peu dur, ces temps-ci."

Connie ne répond pas, se contente d'une grimace où il baisse les lèvres de façon à signifier à son fils qu'il dit des choses ridicules. Absurdes. C'est évident que ça va pour lui financièrement. C'est lui le père. C'est toujours lui, l'homme de la famille. Un ancien marine.

Il y a presque cinquante kilomètres entre Au Sable Forks et Lake Placid, trois quarts d'heure en voiture par beau temps, et le double aujourd'hui. Les routes ont été dégagées, elles sont praticables mais restent glissantes sur tout le parcours et on n'avance qu'au pas dans la traversée de Wilmington Notch, à plus de six cents mètres d'altitude, où la neige tombe si fort qu'elle réduit la visibilité pratiquement à néant.

Il est dix heures moins le quart lorsque Connie arrive sur la place Cold Brook où il gare son pickup – un Ford Ranger blanc qui n'a que deux roues motrices. Il a empilé deux cent cinquante kilos de sacs de gravier sur le plateau de son véhicule pour en améliorer l'adhérence au sol par ce genre de temps. Ce pick-up a sept ans, et la rouille s'étend sous les portières ainsi que le long des jointures du plateau. Connie le gare le long du mur aveugle de l'agence de Lake Placid de la banque Adirondack – un bâtiment bas en préfabriqué à peine plus grand qu'un mobile home familial. Il n'y a pas d'autres véhicules dans ce parking. Personne n'utilise la voie qui le traverse ni le distributeur de billets. Dans l'aire de stationnement réservée aux employés, derrière le bâtiment, il remarque une Subaru Outback toute neuve et un de ces 4×4 Pontiac bossus dont la laideur l'offense.

Les balais d'essuie-glaces ont du mal à passer sur les filets de givre qui se forment sur le pare-brise, et Connie sait qu'il devrait sortir pour enlever la glace avec un grattoir, mais il décide de laisser le dégivreur la faire fondre de l'intérieur. Il n'a pas le temps de traîner. Il risque trop de tomber sur quelqu'un qu'il connaît, même aussi loin de chez lui. Il met le frein à main, prend le sac de sport vert posé sur le plancher près de lui et descend du pick-up en laissant le moteur en marche et le dégivreur et le chauffage au max. Il fait le tour du véhicule pour vérifier que les deux plaques d'immatriculation sont bien couvertes de boue gelée. Arrivé à l'entrée de la banque, il se tourne un instant pour rabattre son passe-montagne en polaire, le transformant ainsi en cagoule de ski comme il n'est pas rare d'en voir par une journée enneigée dans une ville de sports d'hiver telle que Lake Placid. Il ouvre ensuite la lourde porte en verre et pénètre dans la banque.

Il y a deux jeunes caissières minces derrière un comptoir qui leur arrive à la poitrine, deux filles d'une petite vingtaine d'années apparemment en train de compter des billets, et puis, debout près de la porte ouverte de son box en verre, une femme d'âge mûr, cadre de la banque. Toutes les trois le regardent d'un air accueillant lorsqu'il passe l'entrée : c'est le premier client de la journée. La femme cadre tient un tampon encreur officiel dans ses mains comme si on lui avait confié un objet précieux. C'est une rousse au visage rond vêtue d'un tailleur en laine vert et d'un chemisier mandarine. Pour Connie, elle ressemble à une assistante sociale du genre de celles qui l'ont interrogé pour qu'il ait droit à la couverture médicale et aux bons alimentaires. La Pontiac bossue lui appartient sans doute. Les caissières au guichet sont habillées de façon plus décontractée : jupes plissées grises identiques, collants noirs, chemises à col boutonné et à manches longues, gilets en polaire. Toutes les deux ont les joues roses et des cheveux d'un brun boueux qui leur descendent jusqu'aux épaules. Connie se dit qu'il doit s'agir de jumelles qui font exprès de s'habiller pareil. Buzz et Chip, jumeaux eux aussi, le faisaient quand ils étaient au lycée. Rien que pour embrouiller les gens, il s'en souvient. Ces filles sont un petit peu âgées pour ça, tout de même.

S'adossant au comptoir, il dit à la femme cadre : "Pourriez-vous, s'il vous plaît, jeter un coup d'œil à ceci ?" Il a plongé sa main gauche tout au fond de la poche de son blouson, et il brandit le sac de sport avec sa main droite. La femme s'avance vers lui ; il lui tend le sac ouvert.

Elle fronce les sourcils, intriguée et méfiante, mais elle pose néanmoins le tampon sur le comptoir, prend le sac et scrute l'intérieur. Le sac est vide, à part cinq mots tracés en majuscules au marqueur sur une feuille de papier blanc : REMPLIR D'ARGENT LIQUIDE. PROPRIÉTAIRE ARMÉ.

"Oh là là", fait-elle. Elle prend le sac de sport et, évitant le regard de Connie, pousse le petit portillon pour aller derrière le comptoir où les caissières, interloquées, la suivent des yeux sans bouger.

Connie leur dit : "Vous, les filles, écartez-vous du comptoir, reculez de quelques pas et ne touchez à rien. Tenez vos mains de façon à ce que je les voie. Ça prendra pas plus d'une minute." Il ajoute à la femme cadre dont le visage est devenu tout blanc : "Moins d'une minute, en fait. Trente secondes. Je compte", dit-il en commençant le compte à rebours à partir de trente. Au moment où il arrive à douze, elle a déjà vidé le contenu des tiroirs à billets dans le sac de sport. Elle referme le zip du sac et le lui tend.

Le sac a un joli poids, un bon kilo de fric, estime-t-il. Il remercie la femme d'un hochement de tête, et sans s'arrêter de compter à haute voix, part rapidement à reculons vers la porte, sa main droite tenant le sac de sport et sa main gauche enfoncée dans la poche du blouson où elle serre la crosse du Colt M1911, son fidèle pistolet de service. À cinq, il est à l'extérieur de la banque, et à un il est dans son pick-up. Il desserre le frein à main, fait une marche arrière et, toujours sans être vu, tourne en direction de l'ouest pour sortir de la ville par la Old Military Road.

Sous la neige, la circulation est clairsemée et lente. À un kilomètre et demi de la ville, là où on arrive au hameau de Ray Brook, deux voitures de police de l'État, gyrophares tournoyants, foncent vers lui à toute allure et il se range légèrement sur la droite pour les laisser filer. Une minute plus tard, il roule devant le poste de police d'État de Ray Brook où, jusqu'à l'an dernier, travaillait son fils Jack. Si c'était encore son lieu d'affectation, Jack se serait probablement trouvé au volant d'une des voitures qui viennent de passer si vite, et il aurait peut-être reconnu le Ford Ranger blanc et rongé de rouille de son père. Il se serait alors demandé ce qu'il faisait dans ce coin, si loin de chez lui. Mais à présent Jack travaille à Au Sable Forks, pas à Ray Brook, et c'est pourquoi après avoir braqué quatre agences de trois banques différentes dans les comtés d'Essex et de Franklin au cours des sept derniers mois, Connie a attendu jusqu'à maintenant pour s'attaquer à l'agence de Lake Placid de la banque Adirondack ; c'est aussi pourquoi il est reparti vers l'ouest, à l'opposé d'Au Sable Forks et de chez lui. Il ne veut pas que ses fils lui posent des questions auxquelles il ne pourrait pas répondre sans mentir.

Il traverse la ville de Saranac Lake et décrit une boucle, *via* la route 3, qui l'amène progressivement vers le nord et Plattsburgh où il passe le reste de la matinée jusqu'au début de l'après-midi à traîner au centre commercial Champlain comme un ado qui s'ennuie. Laissant sur le parking le pick-up verrouillé avec, à l'intérieur, le sac de sport dont il n'a pas compté l'argent – pour ce qu'il en sait, il pourrait contenir plus d'un kilo de billets de un dollar, bien qu'il s'agisse plus probablement de billets de dix, de vingt, de cinquante et de cent comme les autres fois –, il déambule dans la section outillage du magasin Sears avant d'aller errer dans la zone de restauration où il prend un repas chinois. Il se rend ensuite à la séance de quatorze heures du film *Lincoln*, qui lui plaît, bien qu'il soit étonné par un Abraham Lincoln doté d'une voix aussi aiguë. Pendant qu'il regarde le film, la température extérieure monte jusqu'à deux degrés, la neige tombe de moins en moins fort et finalement plus du tout. Il est presque dix-sept heures quand il sort du multiplexe en clignant des yeux et décide qu'il peut maintenant rentrer sans risque à Au Sable Forks.

Les six voies de l'autoroute Northway sont parsemées de flaques salées pleines de gadoue et de neige fondue. À Keeseville, à seize kilomètres encore de chez lui, il quitte l'autoroute à péage par la grande rampe qui dessine une boucle menant à la route 9N. C'est à Keeseville que vivent ses deux fils cadets et leurs familles, et ce n'est pas si loin que ça d'Au Sable Forks, bon sang – en tout cas pas assez pour les empêcher de venir lui rendre une petite visite par mois s'ils en avaient envie, se dit-il. Afin de donner assez de puissance au pick-up pour négocier le virage, Connie écrase l'accélérateur. Les deux cent cinquante kilos de gravier sur le plateau ont déplacé le centre de gravité du véhicule vers le train arrière, et la force centrifuge du virage fait perdre leur adhérence aux pneus arrière qui dérapent vers la gauche. D'un geste automatique Connie braque à gauche dans le sens de la glissade, mais le train arrière repart à droite, ce qui provoque un lent tête-à-queue par lequel Connie se retrouve face à la direction d'où il vient tandis que le pick-up dérape sur le côté et se met à dévaler la colline à près de soixante-cinq kilomètres-heure en direction de la glissière de sécurité.

CE N'EST QU'UNE COMMOTION cérébrale et une fracture à la clavicule, explique Jack à son père. Mais la clavicule s'est brisée à deux endroits et par conséquent elle est en trois morceaux. "Ils ont fait venir un des chirurgiens du sport de Lake Placid, un type qui traite tout le temps les accidents de ski. Il t'a opéré et mis des broches, mais étant donné ton âge et la perte de matière osseuse, il pense que les broches ne tiendront pas si tu reçois un autre choc dans la même zone. Il a dit qu'il te faudra protéger ton côté droit comme s'il était en verre.

— Je suis resté dans les vapes combien de temps?" demande Connie. Il vient juste de s'apercevoir de la présence de Chip et de Buzz, debout quelque part derrière Jack. Encore comateux, il ne sait pas très bien où il se trouve exactement, même s'il arrive à voir qu'il est dans une chambre d'hôpital. Il est dans un lit avec un cathéter enfoncé dans un bras. Il y a un lit vide à côté du sien, une chaise dans l'angle et une fenêtre au rideau ouvert. Dehors, il fait noir.

"Tu étais inconscient quand je suis arrivé au pick-up, et je suppose que ce n'était pas plus de dix minutes après l'accident. Un citoyen muni d'un téléphone portable dans une voiture qui te suivait a vu le pick-up passer par-dessus et il a appelé le 911. Il se trouvait que j'étais en train de rouler vers le nord sur la 87, juste avant la sortie. Tu t'es réveillé dans l'ambulance, mais ils t'ont mis de nouveau KO quand on t'a envoyé en chirurgie. Tu ne te souviens pas de l'ambulance et de tout ça?

— Le dernier truc dont je me souviens, c'est du pick-up qui se barre en glissant. Salut, les gars, dit-il à Chip et à Buzz. Désolé de vous faire venir pour ça." Ils paraissent inquiets, ils ont les sourcils froncés et ne sourient pas. Ils sont tous deux en uniforme, Buzz dans celui des gardiens de prison de Danne-mora et Chip dans celui, tout bleu, des agents de police de Plattsburgh. Ses trois fils portent tous bien l'uniforme. Ça plaît à Connie. "J'espère que c'est pas ça qui vous a obligés à quitter le boulot."

Chip répond qu'il était de service, mais comme justement il se trouvait à Plattsburgh pour son tra-vail, venir tout de suite à l'hôpital ne lui a pas posé de problème, et Buzz déclare qu'il était en train de rentrer chez lui quand Jack a téléphoné, et donc pour lui non plus pas de problème pour retourner à Plattsburgh. "Edie t'embrasse, ajoute Buzz.

— Ouais, Joan t'embrasse aussi, papa", ajoute Chip.

Connie demande des nouvelles de son pick-up. Il vient juste de se souvenir du sac de sport.

Jack déclare : "Foutu. Northway Sunoco est venu et l'a embarqué. Tu l'as complètement fait sortir de la rampe et il a atterri dans les bois. C'est un fourré de petits bouleaux qui t'a arrêté. T'as de la chance que ce n'ait pas été un gros arbre parce que tu serais passé par le pare-brise. T'avais pas mis ta ceinture. D'où est-ce que tu venais ?

— De Plattsburgh. Des cinémas du centre com-mercial Champlain. Je voulais voir ce film sur Abra-ham Lincoln dont tout le monde parle."

Les quatre hommes restent tous muets un instant, comme si chacun d'entre eux était perdu dans ses pensées. À la fin, Chip dit : "Papa, il faut qu'on te pose deux ou trois questions difficiles." Jack et Buzz signifient leur accord par un hochement de tête.

Connie sent son cœur s'affoler. Il sait ce qui va venir.

Chip dit : "C'est à propos de l'argent dans le sac.

— Quel sac ?"

Jack dit : "Les mecs de l'équipe médicale de secours m'ont donné le sac, papa, le sac de sport, après t'avoir extrait du pick-up. Je ne l'ai pas ouvert avant que tu sois en salle d'opération. J'ai pas voulu être indiscret. Je l'ai ouvert au cas où il contiendrait une bouteille qui se serait cassée ou un truc comme ça. Mais je pense pas que tu avais bu, ajoute-t-il.

— Non, j'ai pas bu ! Pas une goutte de toute la journée ! C'est la neige et le verglas, les responsables."

Chip dit : "On doit savoir d'où tu sors cet argent, papa. Il y en a plein. Des milliers de dollars."

Buzz dit : "Et on doit savoir pourquoi tu trimballais ton 11,43.

— C'est pas illégal, lui dit Connie. En tout cas pas encore."

Jack reprend : "Mais le pistolet et l'argent, ils ont un lien – pas vrai, papa ? J'ai mis les choses bout à bout, tu sais. J'ai relié les points entre eux, comme on dit. Par exemple, je me suis demandé où tu as trouvé l'argent pour acheter ce sonotone que Medicaid prend pas en charge.

— Je me débrouille, question fric. J'ai fait des économies, tu sais."

Buzz dit : "Je sais ce qui se passe en prison, papa. C'est pire que tout ce que tu peux imaginer. Je veux pas que tu y ailles. Mais tu vas écoper d'une lourde peine. Attaque à main armée. Tu vas y passer le restant de ta putain de vie. À quoi tu pensais, bordel ?"

Des trois, Buzz est le seul qui ait l'air triste. Le visage de Jack et celui de Chip ne trahissent aucune émotion, pas même de la curiosité, mais c'est parce

que ce sont des policiers bien entraînés. Connie dit :
"Je sais pas de quoi vous parlez, les gars."

Buzz dit : "Bon sang, papa, tu veux qu'on fasse
quoi ? À ton avis, qu'est-ce qu'on devrait faire ? C'est
quoi, dans ce cas, la bonne conduite ?

— Vous êtes pas obligés de faire quoi que ce soit.
En tant que citoyen américain, j'ai le droit de porter mon arme de service si j'en ai envie, et je peux
trimballer mon argent en liquide dans un sac de
sport si ça me chante. De toute façon, qui peut faire
confiance à ces putains de banques, de nos jours ?"

Jack répond : "Ce n'est pas ton argent ! Il appartient à l'agence de Lake Placid de la banque Adirondack qui a été braquée ce matin. Braquée par un
type avec une cagoule de ski, un blouson Carhartt et
un sac de sport contenant une feuille où était écrit :
« Remplir d'argent liquide. Propriétaire armé. »
La feuille est toujours au fond du sac, papa. Sous
l'argent. J'ai vérifié.

— Tu as vérifié ? Alors tu fourres ton nez dans
mes affaires ? Tu fais intrusion dans ma vie privée ?"

Buzz dit : "Allez, papa, sois raisonnable. On est
deux, là, à pouvoir t'arrêter ! C'est ce que tu veux ?
Être arrêté par tes propres fils ? Et que le troisième
soit ton gardien de prison ?"

Connie regarde la fenêtre à l'autre bout de la pièce
et, à travers la vitre, l'obscurité dehors. Il se demande
si on est déjà en pleine nuit ou de très bonne heure
le matin. Il déclare : "Ça paraît bizarre, quand vous
dites les choses comme ça. Comme si j'avais voulu
que ça arrive."

Mais ce n'est pas ce qu'il avait souhaité. Quand
ses enfants étaient petits garçons et que leur mère
les avait tous abandonnés pour aller vivre avec un

artiste dans une communauté hippie du Nouveau-Mexique, c'était Connie qui, grâce à sa discipline et à son sens du devoir, avait évité que tout n'aille à vau-l'eau. Seul, il avait tenu bon et agi en père parfait pour ses fils. Quand ils eurent obtenu leur diplôme du secondaire, il avait versé les sommes nécessaires pour que Jack puisse étudier à l'institut universitaire Paul Smith's et pour que Buzz puisse aller à l'université de New York à Plattsburgh pendant les deux années où il avait eu l'intention de devenir radiologue. Il avait payé le voyage de noces de Chip et de Joan à Hawaii. Il avait même aidé ses fils alors qu'ils avaient déjà un peu plus de trente ans, et, pour qu'ils puissent acquérir leur première maison, il avait pris une deuxième hypothèque et un prêt sur valeur domiciliaire garantis par son mobile home et le terrain d'Elizabethtown qu'il avait hérité de son père. Il avait voulu être impeccable dans sa façon de s'occuper de ses fils, et il l'avait été. Et maintenant que, devenus grands, les garçons n'avaient plus besoin de son soutien, il comptait continuer à maintenir la famille soudée en s'occupant tout aussi impeccablement de lui-même. Tel était son projet à long terme. Ils resteraient une famille, tous les quatre, et lui resterait le père, le chef de famille, parce qu'on n'est pas davantage ex-père qu'on est ex-marine.

Mais les choses ont tourné de telle façon qu'il n'est plus capable de se prendre en charge lui-même. Comment pourrait-il l'expliquer à ses fils sans qu'ils le trouvent pitoyable, faible et stupide ? D'abord le marché immobilier a coulé, et le mobile home et le terrain que son père lui a laissé se sont retrouvés à valoir moins que les dettes qu'ils garantissaient, de sorte que même s'il l'avait voulu, il ne pouvait pas vendre ces biens pour rembourser ses emprunts et déménager dans une de ces chambres ou un de ces studios que l'État subventionne en ville. De toute façon, qui lui achèterait son mobile home et son terrain ? Et quand bien même il les vendrait, il devrait encore des dizaines de milliers de dollars aux banques et serait tenu de régler les mensualités. Puis il a perdu son emploi dans la maison de ventes aux enchères, Ray's Auction House. Sans ce travail, il lui est devenu impossible de payer les banques, et après deux mois consécutifs de défaut de paiement, les avocats des banques l'ont menacé de saisir son mobile home et son terrain. Il était sur le point de devenir un ex-père.

"Est-ce qu'il est tard ? demande-t-il.

— Oui, répond Jack. Trois heures moins le quart.

— Qu'est-ce que tu veux qu'on fasse, papa ?" dit de nouveau Buzz.

Connie leur demande ce qu'ils ont fait de l'argent, et Jack répond qu'il se trouve toujours dans le sac de sport. Et ce sac, il l'a posé sur une étagère du placard de la chambre d'hôpital où ils ont aussi rangé ses vêtements, y compris son blouson.

"Et mon pistolet de service, il est où ?" Il ne faut pas jouer avec l'arme d'un homme, surtout si cet homme se trouve être votre père et un ancien marine.

"Il est dans le sac avec l'argent, dit Buzz.

— Donc personne n'est au courant de tout ça à part vous trois ?

— C'est exact", dit Jack.

Connie poursuit : "Dans ce cas, personne n'est obligé d'agir dès cette nuit, n'est-ce pas ? Il est tard. Vous, les gars, allez dormir un peu et puis, demain, réunissez-vous pour décider de ce que vous ferez.

C'est à vous de décider, pas à moi. Je sais que quelle que soit votre décision, ce sera la bonne. C'est comme ça que je vous ai élevés."

Ils paraissent soulagés et poussent un soupir presque à l'unisson, comme s'ils avaient tous les trois retenu leur souffle. Buzz se penche et ébouriffe les cheveux clairsemés, gris et blond-roux de son père comme s'il ébouriffait la fourrure de son chien préféré. Il déclare : "OK. Voilà qui ressemble à un plan, papa.

— Ouais, dit Chip. Ça ressemble à un plan."

Jack approuve d'un hochement de tête. Il est le premier à sortir, les autres le suivent rapidement. Ils le rattrapent dans le couloir et ils marchent côte à côte, silencieux, jusqu'à l'ascenseur. Ils restent muets dans la cabine, pendant la descente de deux étages et encore jusqu'au parking. Ils s'arrêtent un instant près du véhicule de police de Jack et lèvent les yeux vers la grande fenêtre carrée de la chambre de leur père. Une infirmière baisse le store et la lumière de la chambre s'éteint.

Jack ouvre la portière du côté du conducteur et monte. "Vous voulez qu'on se retrouve au p'tit-déj' pour décider de la suite ?

— Où ça ? demande Chip. Je travaille de midi à neuf heures du soir, donc pour moi, le p'tit-déj', ça va.

— Au M & M d'Au Sable Forks à huit heures ? L'endroit préféré de notre vieux pour son petit-déjeuner.

— Je peux y être, dit Buzz, mais il faut que je reparte pour Dannemora dès neuf heures."

Chip dit : "Je crois qu'on connaît déjà la suite, n'est-ce pas ?

— Son pistolet, est-ce qu'il est chargé ? demande Buzz.

— J'ai pas vérifié", dit Jack en ressortant de la voiture. Buzz est déjà en train de retourner d'un pas
rapide vers l'entrée de l'hôpital et Chip s'est mis à
courir pour le rattraper quand, depuis la chambre
de leur père au deuxième étage, ils entendent le
coup de feu.

UN MEMBRE
PERMANENT DE LA FAMILLE

JE NE SUIS PAS SÛR D'AVOIR ENVIE de raconter cette histoire qui parle de moi – en tout cas pas maintenant, environ trente-cinq ans après les faits. Mais elle s'est transformée plus ou moins en légende familiale ; par conséquent elle a été fortement révisée et en outre – si je peux me permettre de le dire, dans la mesure où je ne suis pas seulement un témoin mais aussi l'auteur présumé du crime – très déformée. Elle a été colportée par des gens qui n'ont pratiquement rien à voir avec elle et l'ont apprise par une de mes filles ou par mon gendre, voire par ma petite-fille, lesquels sont tous très contents de la raconter parce qu'elle fait apparaître le vieux, c'est-à-dire moi, sous un jour peu glorieux. Il semblerait que rabaisser le vieux soit encore une source de plaisir, et pas seulement pour ceux qui le connaissent personnellement.

Ma principale envie, ici, c'est de mettre les choses au clair, même si cela peut donner de moi une image vaguement négative. Moins de mon caractère, d'ailleurs, que de ma capacité à prévoir les ennuis et donc de la capacité dont j'ai fait preuve à protéger mes enfants quand ils étaient très jeunes. Je cherche aussi à rapatrier cette histoire, à la récupérer, à la rendre de nouveau mienne. Si cela semble égoïste de ma part, n'oubliez pas que pendant trente-cinq ans elle a appartenu à tous les autres.

C'était l'hiver après l'été où je me suis séparé de Louise, la femme qui, pendant quatorze années agitées, avait été mon épouse. Les choses se sont déroulées dans un village médiocrement pittoresque du New Hampshire méridional où j'enseignais la littérature dans une petite université spécialisée dans les arts et les lettres. Le divorce n'avait pas encore été prononcé, mais la séparation était consommée, désormais un fait irréversible non seulement de ma vie et de celle de Louise, mais aussi de la vie de nos trois filles, Andrea, Caitlin et Sasha, alors âgées de six, neuf et treize ans. Vickie, mon aînée issue de mon premier mariage, avait dix-huit ans et habitait avec moi après s'être enfuie de chez sa mère et son beau-père qui, eux, vivaient en Caroline du Nord. Elle était inscrite en première année à l'université où j'enseignais, et elle logeait temporairement dans un studio que j'avais fait construire pour elle au-dessus du garage. Nous étions tous des atomes provenant de la fission de familles nucléaires et nous cherchions de nouveaux noyaux à recomposer.

J'avais quitté Louise en août et acheté à quatre cents mètres de chez elle une petite maison abandonnée, dotée d'un garage en appentis, qui ressemblait à un pavillon de gardien et me donnait la sensation de vivre dans une loge annonçant la demeure bien plus vaste et fort bien entretenue de Louise, à savoir un presbytère de style victorien situé, lui, sur la colline. Après mon départ, la vie mondaine de Louise – vie toujours plus intense et plus ouverte que la mienne – s'était poursuivie au même rythme et s'était même accélérée, comme si, pendant des années, ma présence avait eu un effet rabat-joie. Le week-end surtout, à n'importe quelle heure du jour et de la nuit, des voitures roulaient bruyamment dans les deux sens sur le chemin de terre entre mon pavillon et sa maison. Je reconnaissais certaines de ces voitures : elles appartenaient à des amis que nous avions eus en commun ; d'autres, nouvelles pour moi, portaient des plaques de différents États.

Nous étions financièrement indépendants l'un de l'autre : elle, grâce à un important fidéicommis établi par ses grands-parents, moi en vertu de ma position d'enseignant. Nos avocats n'avaient donc pas à se battre pour ou contre une pension alimentaire. Comme notre unique bien commun de conséquence était ce presbytère victorien plutôt grandiose et qu'il avait été acquis grâce à l'argent venu de la famille de Louise, j'avais signé sans discuter le papier qui lui en rétrocédait ma moitié. Cette maison m'avait toujours paru prétentieuse et bourgeoise – pour parler franc, elle me gênait un peu et j'étais content de m'en débarrasser.

En ce qui concernait les enfants, le plan était le suivant : mon ex-femme (c'était déjà en ces termes que je pensais à elle) et moi allions pratiquer la "garde alternée", remède à la Salomon contre la déchirure du tissu familial. À cette époque, vers la fin des années 1970, cette mesure passait pour un moyen progressiste, bien qu'encore très peu testé, de répartir les responsabilités parentales lors d'un divorce. Les filles habiteraient trois jours et demi par semaine avec moi et Vickie, et trois jours et demi avec leur mère. Une semaine elles passeraient trois nuits chez moi, puis la semaine suivante quatre nuits, de sorte qu'au bout de quatorze nuits elles auraient dormi sept fois chez chacun des deux parents. La moitié de leurs vêtements et de leurs affaires personnelles resterait dans ma maison où j'avais découpé le grenier pour aménager deux minuscules chambres basses, et l'autre moitié dans celle de leur mère où chaque enfant avait une vaste chambre pourvue de hautes fenêtres et d'un dressing. Les filles pouvaient se rendre aisément, en toute sécurité et sans se presser, d'une maison à l'autre. Les jours de transition, le car scolaire pouvait les prendre le matin à l'une des maisons et, l'après-midi, les faire descendre à l'autre. Nous nous étions mis d'accord pour traiter les jours de fête et les vacances en improvisant selon le cas – autrement dit, nous avions reporté le problème.

Il ne restait que le chat, un gros maine coon du nom de Scooter, et la chienne de la famille, bâtarde blanche en partie caniche que nous avions sauvée de la fourrière douze ans auparavant lors de mes études de troisième cycle. C'était une chienne stérilisée, appelée Sarge sans raison connue ; déjà adulte et d'âge indéterminé quand nous l'avions recueillie, elle était à présent très vieille. Elle souffrait d'arthrite, elle était à moitié aveugle et partiellement sourde. Et elle était très dévouée à tous les membres de la famille. Nous formions sa meute.

Louise et moi avions estimé tous deux que Scooter et Sarge, contrairement à nos filles, ne pouvaient pas s'adapter à la garde alternée et devraient donc vivre à temps complet soit chez l'un, soit chez l'autre. J'ai immédiatement proposé de garder Sarge que nous considérions comme n'appartenant à aucun des deux parents mais plutôt aux trois filles qui étaient très protectrices à son égard, comme s'il s'agissait d'une sœur handicapée mentale ou physique. Malgré sa fragilité, c'était un chien de compagnie parfait : d'une placidité adorable, Sarge était complètement dépendante et manifestait une grande reconnaissance pour toute forme de gentillesse humaine.

Scooter, en revanche, était un solitaire qui passait souvent toute la nuit à rôder dans le voisinage en quête d'aventures sexuelles. Négligents, nous ne l'avions fait châtrer que lorsqu'il avait presque trois ans, et de toute évidence il se croyait encore obligé de livrer des combats mortels contre d'autres matous pour s'arroger les faveurs sexuelles de femelles alors même qu'il n'était plus en état d'en profiter. Louise, les filles, Scooter lui-même, tout le monde le considérait depuis longtemps comme mon chat parce que, du fait que je me levais tôt, c'était moi qui lui donnais à manger quand il apparaissait dès l'aube à la porte de derrière avec l'air d'un boxeur qui aurait besoin d'un bon soigneur. Et bien que ni lui ni moi ne l'ayons ouvertement affirmé, nous étions les seuls mâles de la famille. Il a abouti dans ma petite maison au bas de l'allée non pas parce que je le voulais, mais plus ou moins par défaut.

Conformément au principe qui répartissait également les responsabilités de garde entre l'ex-mari et l'ex-épouse, comme l'ex-mari avait été choisi par le chat, il a été décidé que la chienne resterait chez l'ex-épouse. Celle-ci a insisté pour l'avoir. Il n'y a eu ni discussion, ni négociation. J'ai commencé par renâcler, puis j'ai lâché. Le fait de garder Sarge chez elle représentait beaucoup pour la fierté de Louise : c'était le petit plus en sa faveur dans un partage par ailleurs équitable de biens immobiliers, d'objets personnels et de responsabilités familiales. Elle remportait là une légère victoire sur moi dans une lutte dont nous tenions, elle autant que moi, à éviter qu'elle ne dégénère en quelque chose de potentiellement beaucoup plus destructeur. Lui céder ne m'a donc pas gêné. Il faut savoir choisir ses combats, me suis-je rappelé. En outre, revendiquer Sarge était une façon assez peu subtile, bien que sans doute inconsciente, de dire que nos filles étaient davantage à elle qu'à moi. Je n'ai pas non plus eu de mal à lui céder sur ce point, du moment que je savais que c'était une illusion. J'en ai retiré l'impression d'être plus magnanime et plus sage que je ne l'étais réellement.

À cette époque, il y avait entre Louise et moi de nombreuses différences sur ce qui relevait de la réalité et de l'illusion, du vrai et du faux, et nous confondions souvent les causes de la dégradation de notre vie de couple avec les symptômes d'une vie de couple déjà brisée. Mais je n'ai pas envie de m'étendre là-dessus parce que cette histoire ne porte pas sur ces différences et sur ces confusions qui, tant d'années après, sont devenues insignifiantes et sans pertinence. En outre, Louise et moi sommes tous les deux remariés avec bonheur depuis des décennies, nos enfants sont pratiquement d'âge mûr et ont eux-mêmes des enfants. Une de nos filles a divorcé deux fois. Comme son père.

Au départ, notre arrangement a fonctionné sans accrocs, comme Louise et moi l'avions espéré. Fort heureusement les filles, une fois passé le choc initial de la séparation, ont paru adopter le mouvement de métronome réglant leurs allées et venues entre leur ancienne maison familiale, désormais dirigée uniquement par leur mère qui en était aussi la seule propriétaire, et la nouvelle maison pas très bien finie que tenait leur père. Grâce à une balançoire et un toboggan achetés chez Sears, j'ai transformé le jardin en terrain de jeu de maison de banlieue. Je me souviens que nous avons eu un automne doux avec un long été indien, et, après avoir installé une tente des surplus de l'armée au milieu des érables près du ruisseau, j'ai laissé les filles faire griller des hot-dogs et des marshmallows, leur donnant aussi la permission d'y dormir dans des sacs de couchage quand les nuits n'étaient pas trop fraîches et qu'il n'y avait pas école le lendemain. Le mois de juin précédent, sachant que j'allais devoir m'occuper seul des filles et de la maison, j'avais organisé mon emploi du temps pour que mes cours et mes réunions du trimestre d'automne aient lieu en début de journée, ce qui me permettait d'être rentré chez moi quand les filles descendaient du car scolaire. Comme Vickie habitait au-dessus du garage – même si elle n'y dormait plus que de temps à autre parce qu'elle avait maintenant un petit ami lui aussi étudiant qui disposait de son propre appartement en ville –, ma maison, cet automne-là, ressemblait après les heures de classe à un camp de vacances de filles.

La seule complication que nous n'avions pas prévue a surgi du fait que Sarge, malgré son arthrite, trottait du mieux qu'elle pouvait derrière les filles chaque fois qu'elles partaient de la maison de leur mère pour venir chez moi. En soi, ça ne posait pas de problème, sauf que lorsque les filles rentraient chez leur mère à la fin des trois ou quatre nuits programmées chez moi, Sarge refusait de les suivre. Elle restait avec moi et Scooter. Ses préférences étaient claires, bien que ses raisons ne le soient pas. Elle résistait même si je voulais lui passer une laisse, se laissant alors tomber et devenant toute molle comme un manifestant contre la guerre arrêté pour violation de propriété – impossible de la faire tenir debout et de l'obliger à avancer.

Les filles n'étaient pas parties depuis une heure que déjà Louise téléphonait et insistait pour que je mette la chienne dans ma voiture et la reconduise "à la maison", selon ses mots. "Sarge vit avec moi, disait-elle. Avec moi et les filles."

La garde de Sarge représentait une victoire sur Louise que je n'avais nullement cherchée. Je n'avais jamais considéré Sarge comme "ma chienne" mais bien comme le chien de la famille, ce qui pour moi signifiait qu'elle appartenait aux enfants. Je m'efforçais d'expliquer qu'apparemment c'était Sarge elle-même qui avait décidé de demeurer avec moi, et je jurais à Louise que je n'avais rien fait pour la pousser à rester ni pour l'empêcher en aucune façon de suivre les filles le long du sentier quand elles partaient. Bien au contraire.

Mais Louise ne voulait rien savoir. "Ramène cette foutue chienne. Tout de suite." Et elle raccrochait. Sa voix et son accent caractéristique de la région de Tidewater en Virginie résonnent encore à mes oreilles après toutes ces années.

À cette époque, je roulais dans un break Ford et, à cause de son arthrite, la pauvre Sarge ne pouvait pas grimper à l'arrière toute seule. Je devais donc la soulever avec précaution et l'allonger à l'intérieur, puis, une fois arrivé à la maison de Louise, ouvrir le hayon arrière, prendre la chienne dans mes bras et la poser dans l'allée comme une offrande – une offrande de paix, je suppose, même si c'était plus proche, à mon sens, d'un geste propitiatoire.

Ça se passait ainsi toutes les semaines. Malgré tous les efforts de Louise pour que Sarge demeure une résidente permanente de sa maison, la chienne réussissait toujours à se faufiler dehors et à arriver à ma porte juste après les filles, ou bien, de plus en plus souvent, elle venait en empruntant le sentier toute seule alors même que les filles étaient chez leur mère. Ce n'était donc pas Andrea, Caitlin et Sasha que la chienne suivait, c'était moi. J'ai commencé à comprendre que dans son esprit de chien j'étais le chef de meute, et comme j'avais déménagé dans un nouveau repaire, elle avait déménagé aussi. Si elle ne me suivait pas, elle se retrouverait sans chef et sans repaire adéquat.

Il n'y avait rien que Louise et moi puissions faire pour montrer à Sarge à quel point elle se trompait. Bien entendu, elle ne se trompait pas ; c'était un chien. Finalement, au bout d'un mois environ, Louise a rendu les armes bien qu'elle n'ait jamais annoncé sa capitulation. Simplement est venu un moment où mon ex-épouse ne m'a plus téléphoné pour m'ordonner de livrer à sa porte notre chien de famille.

Tout le monde – moi, Sarge, les filles et même Louise, me semble-t-il – en a été soulagé. Nous savions tous qu'à un certain niveau une bataille majeure susceptible de provoquer de graves dégâts collatéraux venait d'être évitée de peu. Cependant, malgré mon soulagement, j'éprouvais une anxiété sourde, une sorte de bourdonnement en moi, du fait d'avoir obtenu la garde exclusive de Sarge. Quand j'y repense, je m'aperçois d'une chose dont je n'étais pas alors conscient : Sarge, tant qu'elle n'appartenait exclusivement ni à moi ni à Louise, fonctionnait dans notre famille récemment démantelée comme le dernier chaînon nous reliant à l'époque précédant la séparation, celle d'avant la chute, une époque d'innocence relative où nous tous, et surtout les filles, croyions en la permanence de notre unité familiale, de notre meute.

Si Sarge avait seulement accepté de suivre les filles, de monter et descendre péniblement derrière elles le long du sentier, si elle avait accepté la garde alternée, alors, pour nous tous, le fait que j'aie quitté ma femme aurait pu être vu comme un changement excentrique, impulsif, peut-être même temporaire, des lieux où nous dormions, et les filles auraient pu vivre la chose en partie comme une suite de soirées de camping effectuées à proximité avec leur père. Je ne me serais pas senti tout à fait aussi culpabilisé, et Louise n'aurait pas été aussi blessée et fâchée. Tout ce qui avait trait à l'abandon aurait été quelque peu atténué. Les enfants n'auraient pas été si traumatisées ; leur vie, telle qu'elles la voient aujourd'hui, n'aurait pas été défigurée à jamais, et ni Louise ni moi n'aurions peut-être cherché aussi vite des conjoints de substitution.

Ce qui revient à mettre un sacré poids sur les épaules de la chienne de la famille, je le sais. Nous perdons tous notre innocence bien assez tôt ; c'est inévitable. Pour la plupart, nous n'y sommes cependant pas prêts émotionnellement ou intellectuellement avant la trentaine ou même plus tard, et donc, quand on la perd de trop bonne heure, pendant l'enfance ou l'adolescence à cause d'un divorce ou de la mort soudaine et prématurée d'un parent, on peut rester fixé sur cette perte toute sa vie. Comme elle survient trop tôt, la perte ne paraît pas naturelle

mais violente et arbitraire, c'est une blessure permanente et gratuite qui laisse en nous une colère contre
le monde. Alors, afin de donner une cible conve-
nable à cette colère diffuse, on cherche un coupable.

Personne, évidemment, n'a reproché à Sarge d'avoir
rejeté la garde alternée et d'avoir du même coup brisé
notre famille. En tout cas, pas consciemment. En
réalité, à cette époque où la famille commençait à se
défaire, aucun d'entre nous ne soupçonnait à quel
point nous dépendions de Sarge pour continuer à
ne pas voir la fragilité, l'impermanence même de
notre famille. Aucun d'entre nous ne savait qu'elle
nous aidait à différer l'éclatement de notre colère, à
repousser notre besoin de coupable, à qui reprocher
la séparation et le divorce, la destruction de l'unité
familiale, la perte de notre innocence.

Chaque fois que les filles descendaient du car scolaire pour entreprendre leur séjour de trois ou quatre
nuits chez moi, il était clair qu'elles se sentaient très
réconfortées de revoir Sarge avec son grand sourire, ses yeux noirs et humides rendus vitreux par
la cataracte, sa queue tombante et sa démarche de
chien arthrosique, bancal, mal fichu, quand elle les
suivait péniblement depuis l'arrêt du bus jusqu'à la
maison. Dès que les filles s'installaient dans le jardin ou dans la maison, du moment qu'elle n'était
pas obligée de gravir l'étroit escalier menant au grenier pour être avec elles, Sarge s'allongeait à leurs
côtés avec un air attentif comme pour les protéger
d'un danger dont Louise et moi n'aurions pas encore
reconnu l'existence.

Vickie n'était pas là très souvent, mais Sarge ne
s'était pas attachée à elle avec autant d'intensité qu'aux
trois cadettes. Sarge ne s'occupait guère de Vickie. De

son point de vue de chien, il me semble que Vickie était un membre tardif et secondaire de la meute et, bien que j'aie du mal à l'admettre, c'est aussi de cette façon que les trois cadettes la considéraient malgré mes grands efforts pour intégrer les quatre filles dans une seule unité familiale. Personne ne l'avouait, bien sûr, mais même alors, dans cette phase précoce, je voyais bien que j'échouais à construire une famille nucléaire recombinée. Vickie était un électron libre et, malheureusement, allait le rester.

En général, quand les enfants étaient en classe ou chez leur mère, Sarge passait ses journées à dormir. Sa seule distraction en l'absence des filles consistait à se balader en voiture avec moi, car je l'emmenais partout où j'allais, même à mon bureau de l'université où elle dormait sous ma table de travail pendant que j'allais donner mes cours. De l'aube au crépuscule, quand l'hiver était venu et que la neige tombait, si je me trouvais à la maison et que ma voiture restait dans l'allée, Sarge avait pour habitude, afin de ne pas rater une promenade éventuelle, de se glisser sous le véhicule et de s'y assoupir entre les roues arrière jusqu'à ce que je sorte. Quand je montais dans la voiture, je mettais le moteur en marche, et si les filles étaient avec moi, je comptais les secondes à voix haute jusqu'au moment où, quand j'arrivais à quinze ou vingt, Sarge surgissait à ma vitre. Je descendais alors, ouvrais le hayon arrière et la soulevais pour la déposer à l'intérieur. Si les filles n'étaient pas là, je comptais quand même, mais dans ma tête. Je ne suis jamais arrivé jusqu'à trente avant que Sarge ne soit sortie pour attendre à la portière.

J'ai maintenant oublié où nous devions aller, mais cette fois les quatre filles étaient toutes dans la voiture, Vickie à l'avant, Andrea, Caitlin et Sasha à l'arrière. Je me souviens que la sortie avait lieu pendant la journée même si, avec les cours de Vickie et les heures de classe des plus jeunes, il était inhabituel qu'elles se retrouvent toutes les quatre dans mon break durant la journée. C'était peut-être un samedi ou un dimanche, peut-être allions-nous à la patinoire. En tout cas c'était un après-midi lumineux, sans nuages et froid – ça je m'en souviens, et il n'y avait pas de neige au sol, ce qui veut sans doute dire qu'on avait traversé une période de grand gel après le dégel habituel de janvier. Ça devait être cinq ou six mois après le début de la séparation et du processus de divorce, lequel ne serait pas prononcé avant le mois d'août suivant.

Les filles s'étaient engouffrées dans la voiture, et elles étaient toutes les quatre d'humeur fofolle. Elles s'étaient mises à chanter pour accompagner les Bee Gees dans *More Than a Woman*, chanson disco populaire, et elles le faisaient en parfaite harmonie, remplaçant *"more than a woman**" par des paroles telles que "femme chauve", chacune faisant tordre de rire les autres, même Andrea, la plus petite, qui venait juste d'avoir sept ans. Je ne peux pas dire que ça m'ait déconcentré. J'étais tout simplement heureux, heureux de voir mes filles faire les folles ensemble, et je leur lançais de grands sourires à toutes les quatre tandis qu'elles chantaient, je voyais un visage rayonnant après l'autre, lorsque je me suis soudain aperçu que j'avais compté jusqu'à soixante et que je continuais. À ce stade, j'avais perdu le lien entre mon décompte et le fait d'aller mettre Sarge à l'arrière du break. Je

---

* "Plus qu'une femme."

me suis simplement arrêté de compter, j'ai passé la marche arrière et j'ai commencé à sortir de l'allée en reculant.

Il y a eu un bruit sourd et un choc. Les filles ont cessé de chanter. Personne n'a dit le moindre mot. J'ai écrasé la pédale de frein, mis la voiture en position de parking et arrêté le moteur. J'ai posé mon front sur le bord du volant.

Les quatre filles ont toutes commencé à se lamenter. C'était une lamentation atavique, funèbre, on ne peut plus féminine. Leurs voix montaient dans les aigus et s'amplifiaient, devenant presque des voix d'opéra, comme si cela faisait des années qu'elles attendaient ce moment pour pouvoir enfin exprimer de concert l'accumulation de toute une vie de souffrances et de douleurs. Une chose horrible, presque impensable, venait de se produire. Leur père avait tué un membre permanent de la famille. Nous l'avions tous su au moment même où nous avions entendu le bruit sourd et senti le choc. Mais les filles savaient quelque chose en plus. D'instinct, elles avaient compris ce qui reliait ce moment où Sarge gisait morte sous les roues de ma voiture à ma décision de quitter ma femme l'été précédent. Les raisons qui m'avaient poussé à prendre cette décision, la forme particulière qu'avaient revêtue mes douleurs et mes souffrances, les années d'humiliation que j'avais endurées, l'impression de m'être compromis en trop de domaines pour jamais pouvoir me respecter de nouveau si je ne quittais pas ma femme, tout cela n'avait aucune importance pour mes filles, pas même pour Vickie car, autant que les trois autres, elle avait besoin de l'unité familiale d'origine où deux parents aimants habitent ensemble, elle avait besoin que cette famille reste intacte, qu'elle continue à exister alors qu'elle-même entrait dans sa vie d'adulte, besoin que cette famille la tienne, la soutienne, elle comme ses sœurs, qu'elle les élève avec amour et, plus que tout, les protège de l'adversité.

Lorsque la lamentation s'est enfin calmée pour finalement cesser, lorsque j'en ai eu fini avec mes excuses si sincères et si répétées que les filles s'étaient mises à me consoler moi (au lieu de me laisser les consoler) en me disant que Sarge était sans doute morte avant que je la heurte avec le break, sinon elle serait sortie de dessous bien plus tôt, nous sommes descendus de voiture et nous avons enveloppé le corps de Sarge dans une vieille couverture. J'ai porté le cadavre jusqu'au bout du jardin, accompagné par les filles qui, elles, portaient ses jouets préférés et son écuelle, et là nous l'avons allongée avec ses objets sous un vieil érable sans feuilles. J'ai dit aux filles qu'elles pourraient toujours venir là, à cet érable, sur la tombe de la chienne pour se souvenir de l'amour que Sarge avait pour elles et qu'elles-mêmes avaient pour Sarge.

Pendant que j'allais dans le garage chercher une pelle et une pioche, les filles sont restées au-dessus du corps de Sarge comme pour la protéger de toute profanation. Quand je suis revenu, Vickie m'a dit : "Tu sais, papa, le sol est gelé.

— C'est pour ça que j'ai pris la pioche." Mais la vérité, c'était que j'avais oublié que le sol était aussi dur que du dallage, et Vickie le savait. Elles le savaient toutes. À ce moment-là, j'étais pratiquement au bord des larmes, je perdais la tête, effrayé par un raz-de-marée d'émotions qui montait dans ma poitrine et me submergeait totalement. Alors que les filles se calmaient et semblaient de plus en plus concentrées sur la tâche à accomplir, je me suis mis à dérailler. Jetant la pelle sous l'érable, j'ai commencé à lancer de violents coups de pioche contre le sol, à attaquer furieusement cette terre desséchée, aussi dure que de la pierre. Le fer rebondissait sur la surface avec un bruit métallique qui résonnait dans l'air froid du matin, et les filles, apeurées par mes halètements et mes grands gestes incontrôlés, se sont éloignées de moi à reculons comme si elles voyaient leur père venger un crime dont elles n'avaient pas été témoins, exécuter un châtiment terriblement disproportionné à ce crime.

Tout cela, je ne l'ai perçu qu'indistinctement, mais ça m'a rendu encore plus furieux, et je leur ai tourné le dos pour ne pas voir leur peur et leur désapprobation. J'ai lancé et relancé le fer contre le sol de plus en plus fort jusqu'à ce que je sois à bout de souffle, que les coups fassent vibrer de douleur les nerfs de mes mains. Alors, enfin, j'ai cessé d'attaquer la terre, et quand j'ai eu la tête plus claire, je me suis souvenu des filles et me suis retourné lentement pour leur dire quelques mots, des paroles qui les incluraient de nouveau et dissoudraient leurs peurs lourdes de chagrin. Je ne savais pas ce que j'allais dire, mais quelque chose me viendrait à l'esprit ; comme toujours.

Sauf que les filles étaient parties. J'ai regardé dans le jardin vers la maison au-delà de la balançoire en train de rouiller, et je les ai vues toutes les quatre disparaître l'une après l'autre entre la maison et le garage, Vickie en tête, suivie de Sasha qui tenait Andrea par la main, et puis Caitlin. Quelques secondes plus tard, elles ont réapparu à l'autre bout de la maison, en train de gravir le sentier menant chez mon ex-femme. À présent, Vickie tenait dans une main celle d'Andrea et dans l'autre celle de Caitlin. Sasha, l'aînée des trois filles de mon ex-femme, marchait devant.

C'est là plus ou moins toute l'histoire, sinon que lorsque les filles ont disparu de mon champ de vision, Scooter, mon chat noir, est arrivé d'un pas nonchalant, sortant des buissons le long du ruisseau qui délimitait le jardin, où il avait sans doute chassé des campagnols et des mésanges à tête brune. Il a traversé le jardin jusqu'à l'endroit où je me tenais, puis il est passé devant moi pour s'asseoir à côté du cadavre rigidifié de Sarge. La couverture entourant le corps de la chienne avait été soulevée par le vent froid qui ébouriffait son épaisse fourrure blanche. Ses yeux aveugles étaient secs et opaques, et sa langue grise pendait de sa bouche ouverte comme si on l'avait interrompue au milieu d'un bâillement. Elle ressemblait à du gibier, à un animal sauvage tué pour sa fourrure ou sa chair, pas à un membre permanent de la famille.

J'ai emporté en voiture le corps de la chienne chez le vétérinaire où elle a été incinérée, puis j'ai rapporté les cendres dans ma maison et j'ai posé l'urne en céramique sur la tablette de la cheminée en me disant qu'au printemps, quand le sol serait dégelé, les filles et moi enterrerions les cendres près de l'érable au bord du ruisseau. Mais cela ne s'est pas fait. Les filles ne voulaient plus parler de Sarge. Elles passaient moins de temps chez moi qu'avant sa mort. Vickie a emménagé chez son petit ami en ville. Le printemps venu, les autres filles n'ont plus dormi chez moi qu'un week-end sur deux, et puis plus du tout quand l'été est arrivé et qu'elles sont parties en camp de vacances dans les montagnes Blanches. Je ne les ai vues qu'une seule fois cet été-là, lorsque je suis monté au camp Abenaki pour le Week-end des parents. J'ai vidé tout seul l'urne contenant les cendres de Sarge par un après-midi de mai. L'année suivante, une grande université du New Jersey m'a proposé un poste avec une bonne perspective de titularisation et, étant donné mon âge et ma carrière, je me suis senti tenu d'accepter. J'ai vendu ma petite maison au bas du sentier menant à la demeure de mon ex-femme. Dès lors, les filles m'ont rendu visite – à moi et à leur vieux chat Scooter – quand elles ont pu, c'est-à-dire un week-end par mois pendant l'année scolaire et la semaine précédant le camp d'été.

FÊTE DE NOËL

SHEILA, L'EX-FEMME D'HAROLD BILODEAU, s'était
remariée, mais pas Harold. Et il avait beau raconter
qu'il voyait certains week-ends une femme à Saratoga Springs, ce n'était pas vrai. Leur divorce s'était
déroulé à l'amiable, comme on dit. Elle avait eu une
liaison avec Bud Lincoln, un des amis d'Harold qui
se trouvait également être leur voisin d'Hurricane
Road, et comme en plus elle en était tombée amoureuse, Harold avait vite compris qu'il n'avait aucun
moyen de renverser la situation.

"Faut croire que l'amour, ça peut arriver, disait
Harold en haussant les épaules. On y peut rien."

"On s'est mariés trop jeunes, Harold et moi. Pratiquement à la sortie du lycée, bon sang", expliquait
Sheila.

Comme les gens de Keene avaient de la com-
préhension pour l'amour, ils pardonnèrent à Sheila
et éprouvèrent du respect pour Harold qui avait
accepté sans tapage l'amour de sa femme pour un
autre. Keene est un village des monts Adirondacks,
dans le Nord de l'État de New York. Il ne regroupe
guère qu'un millier de résidents permanents, et
la plupart d'entre eux tiennent un compte précis
des naissances, décès, mariages et divorces qui s'y

produisent. Ils sont également attentifs aux rema-
riages, surtout quand les deux protagonistes résident
depuis longtemps dans le village et continuent à y
vivre après la dissolution de leur mariage, ce qui était
le cas d'Harold et de Sheila Bilodeau. Bud Lincoln,
lui, n'avait pas été marié et habitait chez ses parents,
mais, jusqu'à ce qu'il se lie avec la femme d'Harold, on
le considérait comme un "beau parti" et donc on le
surveillait quand même.

Après le divorce, Harold emprunta à la banque
pour acheter la part de Sheila dans leur mobile
home "double largeur" où il continua à vivre seul
avec leurs trois chiens et deux chats – tous de races
mélangées et récupérés au refuge pour animaux de
North Country – ainsi qu'avec une demi-douzaine
de poulets et la chèvre angora.

Ça s'était passé trois années auparavant ; maintenant Sheila et Bud étaient mariés depuis deux de
ces années. Même si les deux hommes n'étaient plus
des amis proches, ils se croisaient fréquemment à la
poste, ou quand ils faisaient le plein de leur pick-
up chez Stewart, ou quand ils achetaient un café à
emporter au restaurant Noon Mark, et Harold ne
semblait pas nourrir de rancœur latente. Il voyait
rarement Sheila au village, mais lorsque ça se produisait, elle se montrait amicale et bavarde ; et, bien
que taciturne, il lui rendait la pareille.

Bud Lincoln était entrepreneur en bâtiment, et il
avait construit pour Sheila, sur les hauteurs de Irish
Hill, une maison splendide : trois chambres à coucher, chauffage solaire et vue sur la montagne. Tout
le monde avait beau se montrer très amical depuis
le divorce, Harold ne fut nullement surpris de ne
pas être invité quand Sheila et Bud pendirent la

crémaillère de leur nouvelle maison au mois d'octobre. En fait, il leur fut presque reconnaissant de ne pas y avoir été convié. Cela lui évitait de devoir choisir entre y aller ou rester chez lui.

Mais lorsque, à la mi-décembre, il ouvrit une enveloppe contenant une invitation imprimée pour la fête de Noël de Sheila et de Bud, il s'en étonna et en fut presque contrarié. Cela signifiait qu'il allait être obligé de s'avouer que le divorce et le remariage de Sheila lui causaient toujours un pincement au cœur, et il lui faudrait inventer un prétexte pour refuser l'invitation. Ou alors il devrait mesurer sa douleur résiduelle à l'aune de la nouvelle réalité et se rendre à la fête. Là, il serait forcé de se comporter en vieil ami de la famille ou en lointain cousin, comme quelqu'un qui serait plus qu'un simple voisin mais moins qu'un ex-mari cocufié et largué.

"Aidez-nous à décorer notre sapin! disait l'invitation. Apportez une décoration!" Sous la mention "expéditeur", on lisait Sheila & Bud Lincoln. Elle avait donc pris le nom de famille de Bud, comme autrefois celui d'Harold.

Cette nouvelle maison en rondins très high-tech, Sheila et Bud l'avaient construite dans l'intention d'asseoir et de célébrer leur mariage. Plus qu'un nouveau départ, elle signifiait une répudiation du passé. Surtout de celui de Sheila. La nouvelle maison transformait une simple affaire d'adultère et de divorce en une histoire sur la découverte du grand amour. La décennie de vie commune et sans enfants avec Harold était désormais un livre refermé.

Le divorce en lui-même ne faisait pas non plus partie de l'histoire de Sheila et de Bud. Sinon, ils ne seraient pas restés à Keene et n'auraient pas établi leur nouvelle et élégante demeure à Irish Hill, soit à cinq kilomètres à peine de chez Harold. Ils n'auraient pas adopté un bébé éthiopien, grande affaire dans un village par ailleurs entièrement blanc et on ne peut plus américain. Ils n'auraient pas invité Harold à leur fête de Noël qu'ils espéraient transformer en événement annuel. C'était ça, l'histoire de Sheila. Et de Bud.

Pour Harold, cependant, Sheila représentait un passé qui n'arrêtait pas de saigner et de déteindre sur son présent, et qui, d'après ce qu'il pouvait prévoir, déteindrait également sur son avenir. Presque toutes les nuits, alors qu'il était seul sur le lit à eau de cent soixante de large qu'ils avaient autrefois partagé, elle lui apparaissait en rêve, et elle avait le même air que lors de leur lune de miel à Montréal : un tourbillon blond et souriant qui adorait Harold pour ses manières tranquilles et stoïques. Maintenant, tous les matins, avant d'aller chercher son pick-up dans le garage, il donnait à manger aux chiens et aux chats, aux poules et à la chèvre – créatures qu'ils avaient accueillies parce que Sheila le voulait, pas lui, et qu'elle, pas lui, avait nourries et soignées –, et il revoyait Sheila sortir les écuelles, jeter des poignées de maïs, remplir les casiers, ramasser les œufs sous le soleil matinal avec ses longues mains bronzées, et il souffrait de nouveau de tout son être en songeant qu'elle avait souhaité ces animaux parce qu'elle n'arrivait pas à tomber enceinte.

Ils avaient essayé tous les moyens possibles, depuis les remèdes populaires de bonne femme jusqu'à la fécondation *in vitro*. Rien n'avait marché. Il avait même subi l'embarras d'une numération des spermatozoïdes. Apparemment, le problème n'était pas là, ce qui l'avait quelque peu soulagé, mais seulement parce que ça réduisait de moitié le nombre de solutions susceptibles de régler le problème global.

Sheila, en revanche, n'en fut pas soulagée. Elle ne pouvait plus accuser le corps d'Harold. Il lui fallait accuser le sien. Une par une, mois par mois, elle élimina toutes les causes qui pouvaient empêcher son corps de concevoir : kystes ovariens, infections utérines, trompes bouchées. Ce n'était jamais ça. Jusqu'à ce qu'après un examen par une gynécologue de l'hôpital St Mary de Troy, elle finisse par apprendre que son utérus portait les cicatrices d'une endométriose provoquée par une rupture de l'appendice survenue quand elle avait quinze ans. Les chances qu'elle puisse un jour concevoir étaient pratiquement nulles.

À compter de ce jour, ses relations sexuelles avec Harold étaient devenues une corvée qui les mettait mal à l'aise tous les deux, une obligation qui avait perdu sa finalité. Ils cessèrent totalement de faire l'amour. Puis, par un après-midi de printemps alors qu'Harold se trouvait dans la vallée à creuser les fondations de la nouvelle caserne des pompiers de Keene, Bud Lincoln passa chez eux afin d'emprunter la pelleteuse d'Harold pour un de ses chantiers, et Sheila fit l'amour avec Bud pour la première fois.

Leur liaison s'intensifia et se poursuivit pendant presque un an, et, un soir de février noir et froid, Harold se retrouva à boire seul à une heure tardive dans la taverne Baxter Mountain. Il regardait d'un œil vide un match des Rangers que ne diffusaient pas les chaînes qu'il recevait chez lui par satellite. Harold avait joué au hockey à un bon niveau quand il était au lycée, et il ratait rarement un match des Rangers à la télévision. Sally Hart, l'une des ex de Bud Lincoln, tenait le bar ce soir-là. Il n'y avait pas d'autres clients, et Dave Deyo, le propriétaire, était rentré chez lui de bonne heure, si bien que Sally, après avoir éteint les lumières extérieures, se servit un rhum coca et prit un tabouret au bar à côté d'Harold.

Le sujet de l'ex-petit ami de Sally Hart étant venu dans la conversation, Harold demanda : "Alors, ce vieux Bud, qu'est-ce qu'il a ? Ça fait des mois que je ne le vois plus ici. Il m'évite ? Ou bien c'est toi, qu'il évite ?" tout en riant pour montrer qu'il plaisantait.

Sally et Bud avaient rompu deux ans auparavant. Depuis, Sally était passée par deux petits amis à la suite et se trouvait enceinte de cinq mois par le troisième qu'elle comptait épouser. Et donc, non, pas du tout, Bud ne l'évitait pas, elle. "Lui et moi, on est toujours potes. Toi, par contre… c'est une autre histoire, Harold.

— Comment ça, une autre histoire ?"

Elle hésita, puis dit : "Écoute, mon p'tit, ça me tue d'être celle qui va te dire ça, mais il faut bien que quelqu'un le fasse. Quand tu sortiras d'ici, je suis censée envoyer un texto à Bud pour qu'il sache que tu rentres à la maison.

— Pourquoi ?"

Elle poussa un soupir bruyant et leva les yeux vers la télé. "J'ai le chic pour toujours faire les mauvais choix." Elle resta un moment sans rien dire. "J'en sais rien. Je suppose que c'est pour que tu tombes pas sur lui quand tu rentreras, Harold."

Il ne répondit rien. Il posa sa bière, régla son addition et remonta la fermeture Éclair de sa parka. La partie de hockey était presque terminée. Les Rangers avaient trois points de retard. Arrivé à la porte, il se retourna pour dire : "T'as qu'à envoyer ce texto à Bud tout de suite, Sally. Je tiens pas à tomber sur lui, pas plus qu'il ne tient à tomber sur moi."

Quand Harold arriva à la maison, Bud était parti. Il resta debout devant la porte ouverte et dit à sa femme ce qu'il avait appris au Baxter. Sheila soupira et déclara qu'elle était tombée amoureuse de Bud. Et c'était plus sérieux qu'une simple liaison. Elle ajouta qu'elle voudrait avoir un enfant de lui si elle pouvait.

Il dit : "On dirait que c'est sans retour, maintenant. On dirait que tu envisages une vie totalement différente, Sheila.

— C'est ça", dit-elle.

Elle ne fit qu'une valise et, au volant de sa vieille Honda rongée de rouille, descendit dans la vallée jusqu'à l'appartement que Bud occupait dans la maison de ses parents. Harold ne s'opposa pas au divorce. Un an plus tard, Sheila et Bud Lincoln étaient mariés.

IL Y AVAIT TOUTE UNE FILE de véhicules garés le long de la grande allée sinueuse et fraîchement déneigée qui menait à la maison de Sheila et de Bob sur la partie élargie de la crête de la colline. Harold glissa son pick-up dans un espace dégagé proche de la boîte aux lettres, sortit et gravit lentement l'allée entre deux rangées de pins blancs qui frissonnaient. Il était près de quatre heures trente de l'après-midi, et le soleil se couchait derrière les montagnes. L'invitation indiquait que la fête avait lieu de trois à six heures, et Harold se disait donc qu'il n'arrivait ni trop tôt ni trop tard.

Avançant d'un pas lourd entre les voitures et les pick-up, il en reconnut la plupart. Presque tous les convives seraient pour lui des amis ou à tout le moins des voisins. Et ça le réconfortait, car il ne savait jamais quoi dire à des inconnus, surtout lors de réceptions. Mais il savait aussi que presque tous ces gens allaient surveiller comment Sheila, Bud et lui se comportaient entre eux en public. Ça l'embêtait. Eh bien, soit, pensa-t-il. Ce n'était pas pour chercher une confrontation que Sheila et Bud l'avaient invité à leur fête de Noël, et ce n'était pas parce qu'il était en colère contre eux qu'il avait accepté leur invitation. On évolue. Ce qui est fait est fait, c'est terminé. Le passé est le passé. C'est ça, tout le sens de cette fête, songea-t-il.

Au sommet de la colline, l'allée se terminait en ligne droite ; elle aboutissait à un garage pour deux voitures situé sous la maison même, sous la large terrasse, sous l'énorme cheminée en pierres de rivière et la salle de séjour avec sa majestueuse baie vitrée. Harold s'arrêta un instant et, en haletant, embrassa l'ensemble du regard : le pré enneigé, les volutes de fumée de bois brûlé qui sortaient de la cheminée, le toit en pointe et les portes-fenêtres d'une hauteur de deux étages face aux montagnes. La lumière rosée du soleil couchant rebondissait sur la façade en verre de la maison pour teinter le pré et les sapins drapés de neige qui le bordaient.

Ce qu'il voyait là, c'était la maison de rêve de Sheila, celle qu'elle avait toujours souhaitée, il le savait, et qu'il n'aurait jamais été capable de lui offrir. Il conduisait une excavatrice, c'est tout. C'était un gars qui creusait pour des types qui, eux, étaient des entrepreneurs, des types dans le genre de Bud Lincoln, plus intelligents et plus instruits que lui, qui savaient négocier, évaluer les coûts et les bénéfices, parler facilement aux gens et transformer des inconnus en clients. Tout ce que savait faire Harold Bilodeau, c'était conduire des machines qui creusaient des fondations et des tranchées. Il avait commencé quand il était au lycée : il avait acheté une tondeuse à gazon d'occasion dans un vide-grenier et tondu la pelouse de ses voisins ; puis, l'hiver, il déblayait à la pelle la neige devant chez eux. Il avait poursuivi en empruntant le tracteur de son père pour faucher des champs et des prés, pour déneiger des allées de garage et, une fois le lycée fini, il avait acquis une pelleteuse d'occasion puis, quelques années plus tard, un bulldozer vieux de dix ans et un semi-remorque à plateau. Il avait même obtenu de l'artiste peintre Paul Matthews qu'il lui fasse un panneau : *Harold Bilodeau, Creusements*. Le panneau était jaune vif, comme ceux des routes, et présentait une pelleteuse en silhouette noire qu'Harold aimait tant qu'il se l'était fait tatouer sur l'épaule gauche. Au début, Sheila avait trouvé le tatouage sexy, mais au fil du temps elle avait fini par le trouver laid et de mauvais goût, et elle lui avait dit qu'il devrait le faire enlever – ce qu'il se disposait à faire quand il avait découvert ce qui se passait entre elle et Bud. Il avait alors décidé de le garder.

Il gravit l'escalier jusqu'à la terrasse de devant et, manœuvrant la porte en verre coulissante, entra dans le séjour bondé. Au premier coup d'œil, il reconnut presque tout le monde. Les gens lui sourirent et le saluèrent en hochant la tête, mais ils étaient surtout attentifs au sapin de Noël dans le coin opposé de la pièce, un épicéa bleu haut de trois mètres, lourdement décoré et brillamment illuminé.

Harold resta un instant debout près de la porte pour se repérer. Finalement, il se débarrassa de sa parka en quelques coups d'épaules et, trouvant des manteaux entassés derrière un canapé, la laissa tomber dessus. Il se dirigea vers une longue table transformée en bar et demanda une bière à la jolie gamine qui s'en occupait.

"Bien sûr, Harold, dit-elle. Mais vous pouvez prendre ce que vous voulez. Ils ont de l'alcool. Même du lait de poule avec du bourbon."

Il lui répondit qu'une simple Pabst ferait l'affaire. Cette jeune fille travaillait comme serveuse à temps partiel au Baxter, et il aurait bien voulu se souvenir de son nom, mais il ne savait pas comment le lui demander sans avoir l'air de la draguer. Elle avait un rosier avec des épines tatoué sur le bras, et ce tatouage disparaissait sous la manche de son tee-shirt noir pour réapparaître avec un bourgeon sur un côté de son cou, juste sous l'oreille. Elle apprécierait sans doute sa pelleteuse s'il la lui montrait.

Sheila surgit à côté de lui. Elle portait une robe rouge avec un nœud sur une épaule – Harold songea à une carte de la Saint-Valentin. Elle l'embrassa sur la joue et il en fut étonné ; elle ne l'avait jamais encore embrassé sur la joue, ni elle, ni d'ailleurs personne d'autre dont il se souvenait. Elle lui dit : "Tu arrives presque trop tard pour décorer le sapin. On a pratiquement fini, à part l'étoile au sommet. Tu as apporté quoi comme décoration ?

— Je crois que j'ai oublié. Je veux dire, bon, je savais pas." Elle lui parut avoir pris un peu de poids, avoir le visage, les épaules et la taille un peu plus épais. À moins que ça ne vienne de la robe rouge. Il sentit sa poitrine se contracter et ses bras s'alourdir. Pour lui, elle était toujours belle, et elle prenait de l'âge, chose qu'il n'allait plus être en mesure de suivre de ses yeux, sauf de loin.

"C'était marqué sur l'invitation, Harold. On lance une tradition, ajouta-t-elle. Pour le prochain Noël, nous allons remplir une boîte avec toutes ces décorations : les gens y puiseront et les emporteront chez eux pour leur sapin, et nous on en mettra des toutes neuves sur le nôtre. Une sorte de recyclage. Sauf pour l'étoile en haut. Celle-là, elle bouge pas. Elle vient de la famille de Bud. Regarde, il y en a, là, qui sont formidables, tu trouves pas?" Elle montrait du doigt des animaux sculptés dans du bois, des bonshommes en pain d'épice avec des yeux en M&M's, de délicates clochettes et autres boules en verre, des sucres d'orge, petits et grands, des pères Noël en chocolat, des anges de plâtre et des oiseaux pourvus de vraies plumes.

"Ah, et où est Bud? demanda Harold en balayant la salle du regard.

— Il est allé chercher un escabeau au garage. Pour accrocher l'étoile.

— Au fait, félicitations.

— Pour… ?"

Elle ne le regardait pas et elle était sur le point de s'éloigner en direction de gens qui venaient d'entrer, un couple au visage rouge et aux blousons de ski assortis – les mêmes gens qu'on voit l'été, remarqua Harold, venus pour skier à Whiteface pendant les fêtes et s'amuser.

"J'ai entendu dire que tu avais un bébé depuis peu, dit Harold. Que tu en avais adopté un. Félicitations.

— Il est splendide! Tellement beau, et tellement intelligent! Oh, voilà Bud", dit-elle au moment où apparut Bud Lincoln, grand, blond et souriant, en train de manœuvrer avec précaution son escabeau pour traverser la foule massée autour du sapin. Il déplia l'escabeau et gravit maladroitement les trois premières marches en tenant dans une main une grande étoile à cinq branches plaquée or et dans l'autre un gobelet en plastique à moitié rempli de lait de poule. Sheila laissa Harold et se fraya un chemin jusqu'à l'escabeau dont elle agrippa les montants, le maintenant en place pour son mari. Deux ou trois des personnes les plus proches du sapin crièrent à Bud, en riant, de faire attention. Il leur répondit en riant aussi de ne pas s'inquiéter, il avait tout bien en main.

Harold posa sa canette de bière sur une petite table et se retrouva en train de s'extraire doucement de la foule, de reculer vers la porte en verre jusqu'à ce qu'il soit debout dehors sur la terrasse, sans blouson, frissonnant de froid et toujours en train de regarder Bud qui essayait d'atteindre lentement, de la main qui tenait l'étoile, la cime grêle du sapin. Bud souleva l'étoile au-dessus des dernières petites branches et l'accrocha comme il fallait au bon endroit, puis se retourna et leva triomphalement les bras. Tout le monde applaudit. Sheila lâcha l'escabeau et applaudit avec les autres.

En cet instant, elle parut très heureuse aux yeux d'Harold. Elle était fière de son mari, de son bébé tout neuf, splendide, intelligent et beau, de sa superbe maison. Fière de sa vie. Il émanait de son visage une lumière qu'Harold n'avait jamais vue auparavant.

Il songea soudain que s'il avait quitté la salle pour sortir sur la terrasse, c'était parce qu'il espérait que Bud allait tomber de l'escabeau et que ce foutu sapin de Noël bien trop chargé allait s'effondrer avec lui. Qu'il se casserait peut-être une jambe ou un bras. Que ce serait une humiliation. Harold l'avait souhaité, il s'y était même attendu. Ç'aurait été une fin parfaite pour son histoire de trahison et d'abandon, surtout s'il avait pu suivre l'événement à bonne distance, tout seul ici sur la terrasse.

Il faisait sombre, à présent, mais la lumière froide de la lune s'étalait sur la pente couverte de neige au-dessous de lui. Harold savait que personne, depuis la salle de séjour illuminée et chaude, ne pouvait le voir ici, à l'extérieur. Il ne portait qu'une chemise de flanelle et un gilet en polaire contre le froid de la nuit de décembre. Son haleine sortait de sa bouche comme de la fumée, et il regrettait de ne pas avoir pris sa parka en sortant, mais maintenant il n'avait aucun moyen de la récupérer sans qu'on remarque qu'il quittait la fête avant l'heure. On allait se dire qu'il n'avait toujours pas fait son deuil de Sheila, que sa vie n'avait pas avancé, qu'il en voulait encore à Bud et puis aussi à Sheila. Qu'il était jaloux, voire envieux, de leur maison neuve et du bébé africain qu'ils venaient d'adopter.

Il alla jusqu'au coin nord de la maison où la terrasse se poursuivait devant une pièce adjacente, un petit salon ou peut-être une chambre d'amis. Comme le séjour, elle était pourvue de portes-fenêtres coulissantes en verre. Quand il fut devant, qu'il vit le lit d'enfant, un coffre débordant de jouets et les images d'animaux sur le mur, il comprit que c'était la chambre du bébé. Il reconnut la baby-sitter assise dans un fauteuil à bascule, un livre de classe ouvert sur les genoux ; c'était une des deux filles adolescentes de l'architecte Nils Luderoski, mais il ne savait pas laquelle. Harold se dit que Luderoski avait sans doute dessiné cette maison. Luderoski se faisait payer cher. Harold n'avait jamais été embauché pour travailler à un bâtiment conçu par cet architecte. Il était probable que les plans portaient dès le début le mot *chambre d'enfant* à l'emplacement de cette pièce.

La porte de verre n'était pas verrouillée, et quand il la fit coulisser pour l'ouvrir, il fit sursauter la jeune fille. Elle leva de grands yeux, puis le reconnut et lança un bonjour prudent.

"C'est ton père qui a fait les plans de la maison ?" dit-il avec un sourire en refermant la porte derrière lui comme s'il terminait la visite.

Elle fit oui d'un hochement la tête, posa un doigt sur ses lèvres et pencha encore la tête pour indiquer le petit lit.

Il traversa la pièce, s'approcha du lit et regarda dedans, s'attendant à voir le bébé endormi. Mais il était bien réveillé et, couché sur le dos, il regardait intensément un mobile aux couleurs brillantes suspendu à un bras en métal fixé à la tête du lit. L'homme qui avait les yeux baissés sur lui ne semblait pas du tout l'intéresser. Harold n'avait encore jamais vu d'enfant africain ailleurs qu'à la télévision. Sheila avait raison, son bébé était très beau. Harold se baissa, passa les mains sous le corps du bébé et le souleva doucement du lit.

La jeune Luderoski lui dit : "Faut pas faire ça, monsieur Bilodeau." Elle posa son livre sur la table basse, se leva et se dirigea vers lui, les bras tendus pour lui prendre l'enfant. "Mme Lincoln veut qu'il dorme. Il a du mal à s'endormir."

Dans le séjour, c'était maintenant des chants de Noël. Harold entendait les accents lents et assourdis de trente ou quarante adultes en train de chanter *O Little Town of Bethlehem*. Serrant le bébé contre sa poitrine, il tourna le dos à la fille et avança vers la porte de verre. "Il s'appelle comment?

— On l'appelle Menelik. C'est le nom qu'il avait à l'orphelinat. En Éthiopie. Vous feriez mieux de me le donner, maintenant, monsieur Bilodeau."

Harold tenait le bébé au creux de son bras droit. De sa main libre, il détacha la couverture du bas du lit. Puis il en enveloppa soigneusement le bébé pour ne laisser découvert que son visage luisant. Comme s'il avait l'habitude d'être dans les bras d'inconnus, l'enfant leva les yeux vers l'homme, ni apeuré ni curieux.

"Bonjour, Menelik", dit l'homme.

De derrière lui, avec une voix qui se faisait plus aiguë à mesure que montait la peur, la jeune fille dit : "Il faut qu'il retourne dans son lit."

Harold fit coulisser la porte extérieure, et, par l'ouverture, l'air froid et l'obscurité s'engouffrèrent dans la chambre.

"Qu'est-ce que vous faites?" dit l'adolescente. Se déplaçant rapidement, elle s'interposa entre la porte ouverte et Harold à qui elle arracha le bébé. "Vous feriez mieux de ressortir", dit-elle. Elle resta face à lui, le bébé dans les bras, et il la contourna pour aller sur la terrasse. Elle referma derrière lui. Il entendit le déclic de la serrure.

Il rejoignit d'un pas lent l'avant de la maison, ouvrit la porte et entra dans le séjour comme s'il n'en était jamais sorti. Personne ne parut remarquer son retour – pas plus qu'on n'avait remarqué son départ. Tout le monde était debout autour du sapin de Noël superbement décoré en train de chanter *Douce nuit*.

Il s'avança jusqu'au bar et demanda une autre bière à la fille tatouée. Elle lui lança un grand sourire, chercha une canette de Pabst dans la glacière et la lui tendit. Elle lui souhaita un joyeux Noël.

"À vous aussi", répondit-il. Il prit lentement une petite gorgée de la bière froide. "J'ai oublié d'apporter quelque chose pour le sapin.

— Ça ne fait rien, dit-elle, ils en ont plus qu'il n'en faut.

— Dites-moi votre prénom, reprit Harold. Je le connais, mais je l'ai oublié."

TRANSPLANTATION

LE SENTIER DE GRAVIER CONCASSÉ partait du parking et serpentait dans la montée à travers un bouquet de peupliers. Du monospace où il était assis à la place du passager, Howard repéra le monument au sommet de la colline : une structure en granite, de la taille d'un homme, qui commémorait le massacre par les puritains d'un groupe d'Indiens narragansett. Il distingua ensuite la mince silhouette d'une femme debout près du monument. Elle portait un jean et un poncho en nylon jaune vif dont elle avait remonté la capuche. Se tournant vers la femme assise au volant, il lui dit : "Je sais pas, Betty. Je fais pas une telle distance à pied, d'habitude.

— Trop tard pour reculer, maintenant." Elle se pencha, lui ouvrit la portière et lui tendit sa canne. "Ce n'est pas si loin que ça. Elle vous attend.

— Et si vous alliez là-haut pour la faire descendre ici, plutôt?

— Et si vous faisiez comme si elle n'existait pas et alliez vous asseoir sur la véranda de la maison comme un invalide à regarder le soleil se coucher sur le port. Non, vous avez besoin d'exercice, Howard. Et puis, c'est vous qui avez organisé ça. C'est votre affaire.

— Non, c'est l'affaire du Dr Horowitz", répondit-il. Il prit sa canne et se glissa hors du monospace.
Tout ça, c'est de la folie, pensait-il. Je suis *vraiment*
invalide. Qu'on me laisse tranquille. Cette femme
n'a pas à me coller ses ennuis sur le dos ; j'en ai assez
des miens. Il chancela un instant, puis redressa les
épaules et gravit lentement le sentier en direction de
la femme au poncho jaune.

Il ne s'était pas attendu à ce que la journée
se déroule ainsi. Vers dix heures ce matin-là, Betty
était entrée dans sa chambre sans frapper, comme
d'habitude, et, tirant les rideaux, elle avait laissé la
lumière du jour inonder la pièce. Depuis son lit,
Howard avait regardé un peu plus bas le pré en
pente, puis le port et, sur le côté opposé, la pénin-
sule longue et basse, le clocher blanc de l'église,
les quais, les maisons au bord de l'eau datant de
l'époque coloniale et, comme d'habitude, son irritation s'était dissipée.

"Vérifions les fonctions vitales, avait dit Betty.
Voyons si vous êtes prêt pour une promenade dans
le parc, aujourd'hui. C'est ce qu'ordonne le médecin." Elle remonta la manche du pyjama d'Howard
et prit sa tension. C'était une femme brusque au
visage carré et rose, aux cheveux blonds grisonnants
coupés à la Jeanne d'Arc avec une frange. Howard
trouvait sa coiffure ridicule. Elle avait dans les qua-
rante-cinq ans, quelques années de moins que lui.
Après quelques difficultés au début, ils étaient devenus amis. Elle avait un corps de petite taille et ath-
létique qu'il trouvait joli, mais avec quelque chose
de masculin qui, pour lui, n'était pas sexy – et ça
lui convenait tout à fait. Il en était même soulagé.

Betty le traitait comme un ado alors qu'il se sentait comme un très vieil homme coincé dans le corps de quelqu'un d'encore plus vieux. Il aimait la personnalité tranchante et rigoureuse de cette femme et le petit aboiement de son rire quand il résistait à ses efforts pour le faire lever et bouger un peu, pour l'amener à respecter son régime, boire huit verres d'eau par jour et se déplacer sans canne à l'intérieur de la maison. Un certain degré d'irritation plaisait à Howard. Le fait que Betty refuse de se plier à son humeur, de même que la vue quotidienne du port, de la marina et de la ville plus loin, étaient des choses qui l'égayaient. Pas grand-chose d'autre ne l'égayait, cependant.

"Vous avez un coup de fil à passer, lui dit-elle en lui mettant le thermomètre sous la langue. Le Dr Anthea Horowitz veut vous parler. Au fait, c'est quoi, comme prénom, Anthea? Elle est juive, c'est ça?" Elle retira le thermomètre, vérifia la température puis le secoua. "36° 6. 12/8 de tension. Vous êtes encore en état de fonctionner, Howard.

— J'en sais rien. Peut-être scandinave. Ça pourrait être juif, je suppose. Mais ça fait combien de fois que vous me posez des questions sur son prénom? Ça vous pose un problème, que des femmes médecins soient juives? Passez-moi ce foutu téléphone", dit-il.

Elle le lui tendit. "N'oubliez pas vos médicaments du matin, dit-elle en montrant du doigt, sur la table de chevet, le verre d'eau et la coupelle en plastique contenant les comprimés. "P'tit-déj' dans quinze minutes, m'sieu. En fait, plutôt un brunch", remarqua-t-elle avant de se diriger vers la cuisine.

Depuis qu'il avait quitté l'hôpital, tous les matins avaient été pareils. Il savait dès son réveil où il était et pourquoi, mais il ne parvenait pas à se rappeler exactement comment il était arrivé là. Ce n'était pas à cause des médicaments antidouleur – il n'en prenait plus depuis presque cinq semaines. Ça devait provenir des séquelles de l'anesthésie. On dit qu'il faut un mois pour chaque heure d'anesthésie avant de redevenir normal, et lui, il était resté endormi huit heures et demie. Il calcula de nouveau : on était mi-mai ; l'opération avait eu lieu le 6 janvier ; il n'aurait pas dépassé les effets de l'anesthésie avant septembre.

Il y avait encore de grands blancs dans sa mémoire, et ils changeaient d'emplacement chaque jour de manière imprévisible. Tous les matins, en se réveillant, lui revenait soudain quelque chose dont il avait été incapable de se souvenir la veille : son numéro de téléphone portable ou le nom de son journal quotidien. Puis, une ou deux heures plus tard, il remarquait un tas de nouveaux blancs : il ne se souvenait plus de la marque de sa voiture, de son numéro de Sécurité sociale, du nom de ce mystérieux légume vert feuillu qu'il voyait dans le frigo. Quant au blanc qui recouvrait le moment où, en mars, il était allé de l'hôpital à la maison d'été de son ex-belle-mère, celui-là demeurait en place, semaine après semaine, mois après mois. Howard n'avait aucun souvenir de ce qui s'était passé. Et ça l'inquiétait.

Il était pourtant au courant des faits. Janice – son ex-femme – et la mère de Janice les lui avaient expliqués, ainsi que son chirurgien, le Dr Horowitz, et son infirmière, Betty O'Hara. Il pouvait les répéter à quiconque désirant savoir pourquoi il vivait seul dans un cottage de bord de mer à Cohasset Harbor. L'explication était simple. Il ne pouvait pas retourner dans sa maison de Troy, New York, parce que la transplantation avait eu lieu à Boston et, pendant sa convalescence, il devait rester sous la surveillance du Dr Horowitz et de son équipe. Betty lui faisait tous les jours une prise de sang et le conduisait une fois par semaine à Boston où l'on vérifiait qu'il n'y avait ni infection ni rejet. Son assurance couvrait le salaire de Betty mais pas la location d'un appartement ou d'une maison dans la région. Et, pour l'instant, il était sans emploi. Il avait travaillé comme représentant d'un éditeur dans la région du Nord-Est – c'est-à-dire en réalité comme voyageur de commerce –, mais c'était un poste qu'il ne pouvait plus assurer. Il traversait une mauvaise passe, disait-il volontiers. Heureusement, puisant dans une réserve d'affection pour lui qui n'était pas encore tarie, son ex-femme avait pu persuader sa mère de le laisser occuper sa maison d'été. Tout cela, il le savait, mais il n'arrivait pas à se souvenir d'être entré dans la maison, de s'y être installé.

Il n'eut cependant aucun mal à se rappeler le numéro de téléphone du bureau du Dr Horowitz. Au cours de l'année passée, alors qu'il attendait un cœur disponible, il avait téléphoné à son bureau des centaines de fois, et encore des dizaines depuis qu'il avait été opéré. S'asseyant dans son lit, il le composa et déclara à la réceptionniste que, comme convenu, il rappelait le Dr Horowitz. Quelques secondes plus tard, le médecin prit la ligne.

"Howard?

— Oui. Bonjour.

— Comment vous sentez-vous cette semaine, Howard?" Elle lui parut plus hésitante, moins sûre d'elle que d'habitude. Ce n'était pas bon signe.

"Bien, je pense. Pas de problème. Pourquoi, mes analyses ne sont pas bonnes?

— Non, non, non. Tout est super-nickel. Je suis désolée de vous embêter. Je ne vous embête pas, si ? Vous avez un moment ?

— Ouais, bien sûr. Qu'est-ce qui se passe, patronne ?" Si elle se permettait de dire que tout était super-nickel, pourquoi ne se permettrait-il pas de l'appeler patronne ?

"Howard, je vous transmets une demande. Ce n'est pas une demande habituelle, mais une demande vis-à-vis de laquelle j'ai un devoir. Vous comprenez ?

— Oui, enfin, presque.

— La femme… la veuve de celui qui a donné votre cœur… ?

— Mon cœur ?

— Oui. Elle veut vous rencontrer."

Ils restèrent tous les deux un instant sans rien dire. "Houlà ! Elle veut me rencontrer ?

— Oui.

— Pourquoi ?

— Je ne lui ai pas donné vos coordonnées. Je ne peux pas le faire sans votre autorisation. J'ai seulement accepté de transmettre sa demande. C'est tout.

— Oui, mais pourquoi ? Pourquoi veut-elle me rencontrer ? Je crois pas… je suis pas certain d'être assez fort pour ça.

— Je comprends, Howard. Je sais que vous avez été déprimé. Ce n'est pas inhabituel. Vous savez, je peux vous prescrire quelque chose pour ça.

— C'est pas comme si ce cœur avait été adopté et qu'elle en était la mère biologique.

— À vous de décider. Ce n'est pas vraiment inhabituel, vous savez.

— Quoi donc ? D'être déprimé après une transplantation cardiaque ?

— Ça aussi, oui. Mais je veux dire que le donneur veuille rencontrer le receveur.

— Ce n'est pas elle le donneur", dit-il. Tout ce qu'il savait sur ce cœur avant qu'il ne devienne le sien, c'était qu'il avait appartenu à un homme de vingt-six ans décédé de blessures à la tête après un accident de moto. Cet homme, couvreur à New Bedford, était marié et père d'un très jeune enfant. Et il ne fumait pas, lui avait garanti le Dr Horowitz. Plaçant sa main droite sur son cœur, Howard en sentit le battement solide. C'est mon cœur, quand même ! Il appartient à Howard Blume, pas à un pauvre gosse tombé de moto, dont la tête a heurté le trottoir et qui est mort.

Il déclara : "Il faut que j'y réfléchisse.

— Bien sûr. Elle a dit qu'elle vous rencontrerait là où vous voulez. Elle est jeune, à peine vingt-deux ans, et je suppose qu'elle est seule au monde. À part son petit garçon. J'ai dans l'idée qu'elle n'a pas accepté la mort de son mari, qu'elle n'a pas fait son travail de deuil. Ce n'est pas inhabituel.

— Son travail de deuil, je ne sais pas ce que ça veut dire." Lui revint alors à l'esprit son divorce avec Janice, sept ans auparavant. La fin d'un mariage bref mais parfait, détruit par les liaisons et les flirts découlant du refus d'Howard d'arrêter de voyager pour vivre et travailler près de chez lui, peut-être diriger une librairie, se transformer en homme domestique, en mari fidèle parce que surveillé, en mari rassurant parce que vigilant. Mais il avait passé vingt ans sur les routes avant de tomber amoureux de Janice, et après l'avoir épousée il continua à dormir cinq nuits par semaine loin de chez eux. Howard estimait qu'il s'était marié trop tard, déjà trop vieux pour pouvoir changer sa façon d'être. Les femmes le trouvaient attirant bien qu'il soit froid et égoïste, et il avait souvent trompé Janice jusqu'à ce que Janice finisse par le tromper à son tour, tombe amoureuse d'un de ses amants, et maintenant elle était mariée à cet homme dont elle avait deux enfants – voilà.

Quand il vous arrive un truc épouvantable et que c'est votre faute, bon sang, on n'en fait pas son deuil, se dit-il. Ce qui s'est passé, c'est à vous de vivre avec. Il avait traversé seul ses trois crises cardiaques, une opération à cœur ouvert pour un pontage coronarien et, un an plus tard, la détérioration du cœur même. Et maintenant la transplantation. Tout cela, d'une certaine manière, résultait du fait qu'il avait détruit la seule chose vraiment bien qui lui soit arrivée, son mariage avec Janice. Ni les crises cardiaques, ni le pontage ni la transplantation n'auraient eu lieu, pensait-il, s'il n'y avait pas eu le divorce. C'était une superstition, il le savait, mais il ne pouvait s'en défaire.

Cette jeune femme, en revanche, n'avait pas provoqué l'accident de son mari, le désastre qui l'avait frappée, elle. C'était la faute de son mari. Peut-être le travail de deuil – pour autant qu'on sache ce que c'est – était-il possible pour elle. "Je suppose que je lui dois beaucoup, n'est-ce pas ? Bon, c'est quand même elle qui a pris la décision de donner les organes de son mari."

Le Dr Horowitz lui demanda où il souhaiterait retrouver cette femme. Celle-ci, ajouta-t-elle, s'appelait Penny McDonough et vivait à New Bedford, à moins d'une heure, en voiture, du cottage de Cohasset Harbor.

"Je n'ai pas envie qu'elle vienne ici, dit-il. Je vais demander à Betty s'il y a un bon endroit pas loin, un endroit où elle pourra me conduire. Je vous rappellerai et je vous donnerai une heure. Dites-lui que je ne suis pas en forme pour une longue rencontre."

QUAND IL ARRIVA PRÈS DU MONUMENT sur la colline, il haletait, s'appuyait beaucoup sur sa canne, et son cœur cognait. "Il est à qui, ce cœur, à la fin ? Mais, bon sang, à qui est le cœur qui bat en moi ?" Le cœur n'était pas à lui, mais il n'était pas non plus à quelqu'un d'autre. Jusqu'alors, Howard avait réussi à ne pas se poser cette question. Maintenant, depuis qu'il avait accepté de rencontrer cette femme, il n'arrêtait pas de se la poser et comprenait pourquoi il l'évitait depuis si longtemps. C'était une question à laquelle il n'y avait aucune réponse. Aucune. Il eut peur de ne plus jamais pouvoir dire à qui appartenait le cœur qui le maintenait en vie.

Il se dirigea vers le côté du monument où attendait la femme au poncho jaune. Elle était toute menue et semblait fragile, presque enfantine, avec de petites mains et des poignets à la fois fins et osseux. Assez jeune pour être sa fille, se dit-il. Au lieu d'un sac à main de femme, elle tenait un sac à livres en tissu vert. Elle avait une peau pâle et de grands yeux bleus, et il ne voyait sur elle ni maquillage ni bijoux. De courtes mèches de cheveux cuivrés lui balayaient le front, et Howard se rappela son prénom : Penny. Un diminutif de quoi ? Pas de Pénélope. Probablement d'un prénom irlandais, pensa-t-il.

"C'est moi Howard Blume, dit-il. Je suppose que vous êtes Penny ? Je voulais dire Mme McDonough." Il tendit sa main droite et elle lui donna la sienne, froide et mesurant la moitié de celle d'Howard.

"Oui. Merci, monsieur Blume, d'avoir accepté de me rencontrer." Elle avait l'accent monocorde du Sud-Est du Massachusetts. Elle regarda les yeux d'Howard, mais pas en eux – c'était comme si elle l'avait déjà rencontré à une époque lointaine et tentait de se rappeler où. "Je suis désolée que vous ayez dû monter jusqu'ici, dit-elle. Je n'étais pas sûre que c'était vous, sinon je serais descendue.

— Pas de problème. J'avais besoin d'exercice."

Elle sourit sans desserrer les lèvres. "À cause de l'opération, bien sûr. Vous allez bien ? Je veux dire...

— Oui, je vais bien, dit-il en lui coupant la parole. Écoutez, ce n'est pas très facile pour moi, mais je tenais à vous dire combien je vous suis reconnaissant de ce que vous avez fait. Je ne sais pas pourquoi vous vouliez me rencontrer, mais moi, c'est pour ça que je voulais faire votre connaissance. Pour vous dire... pour vous remercier.

— Vous n'avez pas à me remercier. C'est ce que Steve, mon mari... c'est ce qu'il aurait voulu.

— Oui, bon, je suppose que je devrais le remercier aussi." Il s'interrompit un moment, puis : "Ce devait être quelqu'un de bien. Qui pensait aux autres. N'est-ce pas ?"

Elle ramena son sac devant elle comme si elle allait l'ouvrir. "Oui. J'aimerais vous demander un service, dit-elle. Je peux ?

— Ouais, bien sûr. Pourquoi pas ?

— Je voudrais écouter votre cœur. Le cœur de Steve.

— Houlà ! Écouter mon cœur ? C'est... disons, est-ce que c'est pas un peu... bizarre ?

— Pour moi, ça serait vraiment important. Plus que vous n'imaginez. Je vous en prie. Juste une fois, juste cette fois." Elle ouvrit son sac et en retira un stéthoscope noir et argent qu'elle déplia comme s'il s'agissait d'une offrande.

"Je sais pas. Je trouve ça un peu glauque. Vous pouvez bien le comprendre, pas vrai?" Howard regarda en bas, vers la voiture. Il ne voulait pas que Betty voie ça. Il voulait que personne ne voie ça. Quelques mètres au-delà du parking, la route étroite suivait le rivage parsemé de rocs. Un amoncellement de nuages qui s'épaississait avait caché le soleil, et une brise venant du large faisait clapoter l'eau gris-bleu.

"Je vous en prie, dit-elle à voix basse. Je vous en prie, laissez-moi faire ça." Elle repoussa sa capuche et glissa les extrémités recourbées et caoutchoutées du stéthoscope par-dessus ses épaules puis autour de son cou.

Howard resta muet. Il se contenta de hocher la tête. Après avoir enfoncé les embouts du stéthoscope dans ses oreilles, la jeune femme s'avança vers lui.

"Voulez-vous défaire votre chemise?"

Il tira sa chemise hors de son pantalon et la déboutonna entièrement. Pourquoi je lui laisse faire ça, bon sang? Je pourrais simplement dire non et m'en aller, pensa-t-il. "Et mon tee-shirt? Vous voulez que je le relève?

— Non, dit-elle avec fermeté. Je ne veux pas le voir."

La pièce au bout de l'instrument qui allait sur la poitrine avait la forme et la taille d'un petit biscuit. D'un geste rapide, comme si elle avait répété, la jeune femme la posa précisément sur l'incision du thorax. Puis elle ferma les yeux et écouta. Des larmes coulèrent sur ses joues. Howard l'entoura de ses bras, l'attira contre lui et, se sentant alors trembler,

71

comprit qu'il pleurait à son tour. Plusieurs instants s'écoulèrent, puis la femme ôta de ses oreilles les embouts du stéthoscope et pressa le côté gauche de sa tête contre la poitrine d'Howard. Ils restèrent ensemble un long moment, secoués par le vent qui venait du port, chacun serrant l'autre dans ses bras en écoutant le cœur d'Howard.

Une pluie légère avait commencé à tomber. Dans le parking, Betty contourna l'avant du monospace, jeta un coup d'œil à sa montre et leva les yeux pour regarder le couple. Au bout de quelques instants, retournant vers sa place au volant, elle monta dans la voiture et continua à attendre.

OISEAUX DES NEIGES

ENFIN, APRÈS DES ANNÉES DE DISCUSSIONS où elle avait argumenté pour et lui contre, Isabel et George Pelham se mirent d'accord pour fermer leur maison du hameau de Keene, dans le Nord de l'État de New York, et passer les cinq mois d'hiver ensemble à Miami Beach dans un appartement loué. Cet appartement très peu meublé comportait deux chambres à coucher et il était situé au vingt et unième étage d'une tour au bord de la baie de Biscayne, loin des hôtels et de la vie nocturne. Si le coin leur plaisait et s'ils se faisaient quelques amis, ils deviendraient des "oiseaux des neiges*". Un an seulement. La limite de ce que George avait accepté.

Puis, après à peine un mois de ce premier hiver, à la fin de sa quatrième leçon de tennis sur les courts publics du parc Flamingo, George tomba à genoux comme s'il venait de gagner la finale de Wimbledon et succomba à une crise cardiaque. Suivant les recommandations du jeune interne qui avait établi le constat de décès, Isabel téléphona au salon funéraire et crématorium O'Dell depuis le centre médical

* Gens du Nord, souvent retraités, qui passent l'hiver dans le Sud des États-Unis.

Mont-Sinaï, où l'ambulance avait transporté le corps de George. Elle appela ensuite sa meilleure amie, Jane Deane.

Jane était dans son bureau de l'externat High Peaks Country, assise à sa table de travail, quand le téléphone sonna. Elle était conseillère d'orientation pédagogique dans cet établissement et psychothérapeute à temps partiel en ville – une ville où, en l'absence d'emplois à temps complet, on avait le plus souvent recours à deux temps partiels. Et ce recours, dans le cas de Jane, était devenu une nécessité du fait que Frank, son mari, n'avait pu trouver de travail d'aucune sorte depuis qu'il avait perdu son magasin de meubles dans les Adirondacks six mois plus tôt. Le cabinet de Jane s'appelait Peaks & Passes Counseling.

"Jane, George est mort, annonça Isabel. Il est parti. Il a eu une crise cardiaque ce matin en jouant au tennis. George est mort, Jane!

— Oh, mon Dieu! Et toi, ça va? Est-ce qu'il y a quelqu'un auprès de toi?" Femme grande et mince aux cheveux sombres coupés court et parsemés de gris, de dix ans plus jeune qu'Isabel, Jane avait travaillé aux côtés d'Isabel et de George depuis la fin de ses études jusqu'au moment où, il y avait maintenant trois ans, le couple plus âgé s'était retiré de l'enseignement, Isabel prenant une retraite anticipée à soixante ans et George prenant la sienne tardivement à l'âge de soixante-dix. Jane appréciait George – il n'y avait rien en lui d'antipathique –, mais elle aimait Isabel comme on aime une sœur plus âgée et plus avisée que soi.

Une des élèves du programme de formation en alternance – jeune fille d'avant-dernière année

portant une robe de paysanne bavaroise vert foncé et des chaussures de randonnée – franchit à pas lourds la porte ouverte du bureau de Jane et posa un paquet de dossiers sur la table de travail. Et quand Jane lui fit signe de partir en évitant son regard, elle ressortit du même pas, l'air mécontent.

"Non, je suis toute seule. À part le médecin. Je ne connais pas encore vraiment qui que ce soit, ici, dit Isabel en se mettant à pleurer.

— Je vais descendre en Floride, Isabel. Je vais prendre un congé d'urgence et venir tout de suite en avion pour t'aider à traverser ce moment.

— Non, non, ce n'est pas la peine! Je vais bien m'en tirer. Je vais téléphoner à la famille de George, à sa sœur et à ses frères. Ils viendront. Ne t'en fais pas pour moi, dit-elle en s'interrompant pour pleurer de nouveau.

— J'annule tout et je serai là dès demain après-midi", déclara Jane.

Prenant de grandes bouffées d'air entre ses phrases, Isabel poursuivit :

"C'est quand même trop bizarre, tu trouves pas ? Qu'il meure en Floride alors qu'on vient juste d'arriver! J'espérais qu'il allait adorer, ici. Il prenait une leçon de tennis. C'est complètement absurde. Qu'est-ce que je vais faire, Jane? Je suis toute seule ici. Je me sens perdue, sans lui!"

Jane lui jura qu'elle n'était pas seule, qu'elle avait de nombreux amis proches, qu'elle avait aussi la famille de George qui habitait le Connecticut et Cooperstown – ils allaient sans doute lui apporter quelque réconfort –, et puis aussi Jane et Frank, mais elle omit de mentionner que Frank n'avait pas éprouvé d'affection particulière pour George (il le trouvait suffisant, trop content de lui-même) et que, s'il aimait bien Isabel, il la considérait comme une amie de Jane et pas comme une de ses amies à lui.

"La famille de George. Tu parles. Ils vont sans doute dire que c'est ma faute parce que je l'ai persuadé de venir ici. Et ils auront raison, ajouta-t-elle avant de se remettre à pleurer.

— Ne dis pas ça! Il aurait fait une crise cardiaque en dégageant la neige devant chez vous, bon sang!"

DEUX HEURES PLUS TARD, après être allée sur le continent au salon funéraire et crématorium O'Dell où elle choisit une urne simple en acajou pour les cendres de George, Isabel roula dans sa Subaru Outback jusqu'au parking d'exposition du concessionnaire Sunshine Chrysler non loin de là, dans la Douzième Avenue nord-ouest. Là, elle échangea sa voiture qui datait de cinq ans contre un cabriolet neuf, une Chrysler 200S marron foncé qu'elle prit en leasing.

Le lendemain matin, Jane, sa meilleure amie, alla de Keene à Albany dans sa propre Subaru Outback légèrement plus vieille, se gara dans le parking longue durée et prit l'avion pour Miami afin de se rendre aux funérailles de George Pelham. Elle prévoyait de rester trois ou quatre jours auprès d'Isabel. Peut-être une semaine. Aussi longtemps qu'il le faudrait pour la consoler et l'aider à résoudre les difficultés pratiques d'un veuvage soudain. Le Dr Costanza, directeur de l'école, lui avait affirmé qu'elle pouvait prendre tous ses jours de congés maladie non utilisés si elle le souhaitait. Ce n'était pas comme si elle devait donner des cours. Tout le monde, aussi bien les membres du corps enseignant que les habitants de la ville, portaient George et Isabel dans leur cœur, tels furent les mots du Dr Costanza.

Jane trouvait sa façon de parler légèrement amusante – comme d'ailleurs ses nœuds papillons et ses gilets de laine losangés –, et il lui arrivait parfois de l'imiter quand elle parlait avec lui. Elle lui répondit donc qu'elle lui révélerait ses plans dès qu'ils auraient éclos et se seraient révélés à elle.

Bien que Frank, le mari de Jane, n'ait jamais été un proche des Pelham – il était ce qu'on appelait un natif de Keene, tandis que les Pelham, comme Jane, étaient "d'ailleurs", pour reprendre l'expression des gens du cru –, il respectait l'amitié entre Jane et Isabel, et il dit à Jane de rester là-bas, en Floride, aussi longtemps qu'elle le souhaitait. De toute façon, il allait passer la semaine suivante avec des copains dans le camp de chasseurs de Johns Brook. Peut-être même plus longtemps s'il ne tuait pas son cerf d'emblée. Ils feraient peut-être venir Ryan… comment il s'appelle déjà? tu sais, le fils Hall, pour s'occuper des chiens.

QUAND ISABEL VINT la chercher à l'aéroport de Miami dans son cabriolet Chrysler décapoté, Jane fut désarçonnée par le chaleureux sourire de bienvenue qui s'étalait sur le visage large et bronzé de son amie. Pas de larmes de chagrin, pas de tremblements de lèvres. Jane lança sa valise sur la banquette arrière, monta et serra longtemps et vigoureusement Isabel dans ses bras – une accolade consolatrice. Isabel était plus petite que Jane, svelte, et musclée pour une femme, surtout une femme de son âge. Elle portait un tee-shirt en soie blanc, une jupe à volants bleu pâle en coton et des sandales.

Pas exactement funèbre, pensa Jane. Regardant la nouvelle voiture, elle dit : "J'aime bien cette couleur, Isabel. Je parie qu'on lui donne un nom dans le genre *espresso*. Je me trompe ?" En fait, elle aimait vraiment cette couleur et elle espéra ne pas avoir un ton sarcastique.

"Ha ha ! On l'appelle « tungstène métallisé ». J'aurais voulu « gris argent métallisé », mais c'était le seul cabriolet exposé et je voulais surtout un cabriolet. Alors, écoute, ça ne t'embête pas si on passe prendre les cendres de George en rentrant à la maison ? Puisqu'on n'est pas loin de chez Digger O'Dell, l'Amical Entrepreneur de pompes funèbres."

Jane répondit que non, ça ne l'embêtait pas. Le ton jovial d'Isabel la déconcertait. "Est-ce qu'il s'appelle vraiment Digger* O'Dell ?"

Isabel répondit en riant : "Non, mais c'est vrai qu'il est amical. Peut-être trop. Je crois qu'il s'appelle Rick. Ricardo O'Dell. C'est un Latino, malgré son nom. Argentin, peut-être."

Tout en conduisant, elle tapa une série de chiffres sur son téléphone portable. Tenant le volant d'une main et, de l'autre, le téléphone contre son oreille, Isabel traversa rapidement – et même de façon experte pour quelqu'un qui n'avait jamais conduit dans une circulation aussi dense, estima Jane – l'enchevêtrement d'échangeurs en trèfle et de rampes d'accès et de sortie qui entouraient l'aéroport. En quelques minutes, elles se retrouvèrent sur la route 112 à rouler à toute allure vers l'est et la baie de Biscayne.

Isabel s'arrêta dans un parking brûlé par le soleil juste à côté du grand cube en parpaings que le salon

---

* Dans ce contexte, *digger* signifierait "fossoyeur".

funéraire O'Dell partageait avec un marchand de pneus, et elle se gara. Elle demanda à Jane si elle avait envie de venir avec elle dans le salon. "C'est un peu sinistre, dit-elle, mais c'est intéressant." Rick O'Dell lui avait dit qu'il serait occupé avec une cliente dans la salle de réconfort quand elle arriverait, mais qu'il laisserait à l'accueil l'urne contenant les cendres de son mari. Elle pouvait tout simplement l'emporter. Il n'y avait rien à signer.

Jane répondit que oui, bien sûr, parce qu'elle n'était encore jamais entrée dans un crématorium. Elle se sentait bousculée par Isabel, poussée à faire quelque chose qu'elle aurait préféré éviter, mais elle décida de passer outre. Isabel était sans doute sous le coup d'un épisode maniaque provoqué par le chagrin. Façon de ne pas succomber à ce chagrin. C'était quelque chose qui se produisait parfois après le décès d'un conjoint.

Elles entrèrent dans une salle plongée dans l'obscurité, sans fenêtre. Près d'une porte à l'autre bout, il y avait une chaise de jardin pliante en plastique et, sur la chaise, un petit carton où était collé un Post-it jaune sur lequel quelqu'un avait écrit *Isabel Pelham* au marqueur rouge.

"J'ai de bonnes raisons de croire que les cendres dans cette boîte sont celles de George et pas les miennes, déclara Isabel.

— Oh, tu fais de l'humour, ou c'est un penchant morbide ?

— Les deux.

— Allons-nous-en. Je commence à trouver tout ça un peu glauque, dit Jane en se retournant pour partir.

— Attends. Viens voir ça." Au-delà de la porte se trouvait une autre salle plus grande, une sorte de hall d'exposition éclairé depuis le plafond par des lampes fluorescentes à la lumière vacillante. Sur un chariot à quatre roues au milieu de la salle par ailleurs vide, était posé un cercueil blanc au couvercle relevé. L'intérieur était doublé de cuir verni blanc, roulé et plissé. À part ce qui semblait être une boule de bowling dans un sac, le cercueil était vide. Des pièces d'aspirateur – un collecteur, un long flexible enroulé et des tubes télescopiques – étaient posées sur le sol carrelé à côté du chariot.

"Regarde. Ça te fait pas adorer Miami?" chuchota Isabel. Elle sortit son iPhone de son sac et prit quatre photos rapides de la scène. "Oh putain, c'est totalement surréel, ici. Où que tu poses les yeux. Je me demande si je vais pas acheter un vrai appareil photo et tout photographier. Ça pourrait être le début d'une toute nouvelle carrière." Elles perçurent la voix étouffée d'un homme qui parlait espagnol dans la salle de réconfort un peu plus loin le long du couloir.

"C'est sans doute Digger O'Dell, l'Amical Entrepreneur de pompes funèbres qui réconforte quelque pauvre veuve dans la salle dite justement de réconfort en lui mettant une main sur le genou. À moins qu'ils ne soient dans le crématorium. Je me demande où il se trouve. Sans doute au sous-sol."

Elle se préparait à entrer dans la salle d'exposition quand Jane, la tirant par le bras, l'arrêta et dit : "Bon sang, Isabel, allons-nous-en maintenant. Tu as ce qu'on venait chercher."

Isabel souleva la petite boîte en carton posée sur la chaise et l'ouvrit. À l'intérieur se trouvait un récipient en acajou poli qui avait à peu près la taille et la forme d'une bouteille de lait à l'ancienne. "Ça te plaît?

— Quoi? L'urne? Oui, elle est… de bon goût."

Tenant l'urne par le col, Isabel l'examina lentement. "J'ai du mal à m'imaginer que George tout entier se réduise à ça. Nous qui sommes cendres redevenons cendres, je suppose. Mais il était si costaud, il pesait plus de quatre-vingt-dix kilos. Ramené à un demi-litre de cendres, à peu près. Des restes de crémation. Tu veux jeter un coup d'œil? dit-elle en commençant à dévisser le couvercle en plastique noir.

— Sûrement pas, non! Pas ici. Allez, Isabel, partons tout de suite!" dit Jane. Elle suivit d'un pas rapide le couloir jusqu'à la porte qu'elle ouvrit pour sortir dans la lumière aveuglante du jour.

TEL UN AGENT IMMOBILIER qui aurait essayé de lui vendre l'appartement, Isabel guida Jane dans ce qu'elle appela le tour du propriétaire : d'abord l'appartement même, puis les parties communes de l'immeuble, et Jane apprit ainsi que son amie nouvellement veuve comptait vivre seule à Miami Beach dans cette tour de logements en copropriété de l'avenue Sunset Harbour où l'on avait une vue spectaculaire sur la baie de Biscayne et, de l'autre côté de la baie, sur la silhouette des immeubles du centre de Miami. Il y avait aussi dans la tour une piscine et un centre de fitness. L'entrée était agréable, avec un sol en marbre, un agent d'accueil présent jour et nuit et une surveillance vidéo vingt-quatre heures sur vingt-quatre. Isabel lui montra comment, depuis son nid d'aigle aux murs de verre, elle suivait des yeux les bateaux de croisière scintillants qui glissaient en silence vers le large. De sa terrasse, elle voyait d'en haut les mouettes et les pélicans. Avec des jumelles, elle arrivait à espionner les amoureux, les trafiquants et les fêtards sur les bateaux amarrés dans le yacht-club adjacent à son immeuble. Car ce fut ainsi qu'elle en parla, remarqua Jane : *son* immeuble. Auparavant, dans leurs conversations téléphoniques hebdomadaires, elle disait *notre* immeuble.

Quelque chose de bizarre se passait chez Isabel, se disait Jane. Elle n'était pas préparée à la vivacité de son amie, à son soudain accès de volontarisme ou à ses nouveaux enthousiasmes. Ce n'était pas l'Isabel qu'elle connaissait depuis plus de la moitié d'une vie, la femme qu'elle était venue consoler.

"J'adore le fait qu'il y ait tant de Noirs dans cet immeuble, dit Isabel, et que la plupart des habitants de cette ville parlent espagnol. Je ne m'étais jamais rendu compte à quel point j'en avais marre d'être entourée de gens qui me ressemblent et qui parlent exactement comme moi. Je vais apprendre l'espagnol, dit-elle. On entend beaucoup de créole haïtien, aussi. Je vais devenir une résidente permanente de Floride. J'aime mieux voter ici, où mon vote compte, qu'à New York où je ne suis qu'une démocrate de gauche de plus. J'ai pris rendez-vous ce matin par Internet pour obtenir mon permis de conduire de Floride.

— Tu comptes vivre ici toute l'année?

— Je vais sans doute aller dans la maison de Keene pendant les mois d'été. Au moins dans l'immédiat.

— Je croyais que George et toi aviez l'intention de déménager dans cette communauté chrétienne pour retraités, celle de Saratoga Springs. Comment s'appelle-t-elle, Harmony Hills?" Les Pelham étaient épiscopaliens, pas vraiment pratiquants mais croyants. Et adeptes des BA, pour reprendre les mots de Frank. Du moins était-ce le cas de George. Depuis des années, il passait ses vacances à construire des maisons pour l'organisation Habitat for Humanity. Et Jane estimait qu'Isabel était une sorte de chrétienne New Age. Côté religion, Isabel et George étaient plus conventionnels que Jane qui se disait bouddhiste et que Frank, son mari, qui, bien qu'élevé dans le catholicisme, se réclamait de l'agnosticisme comme s'il s'agissait d'une religion.

Isabel répondit : "Oh, bon Dieu, non ! Cet endroit, ç'a toujours été l'idée de George. Pas la mienne. Il a eu soixante-treize ans en juin, et il avait l'intention d'entrer à Harmony Hills avant d'en avoir soixante-quinze. Assez tôt pour pouvoir encore en profiter, disait-il."

Jane savait tout cela mais n'avait jamais calculé les âges. "Ouah ! S'il avait vécu jusque-là, ça t'aurait fait combien, pas plus de soixante-quatre ans ? C'est quand même un peu tôt pour aller vivre dans une maison de retraite.

— Tu l'as dit. Une méga-crise nous attendait au tournant, un vrai vingt tonnes. Mais ce n'est pas tout à fait une maison de retraite. Ils appellent ça une « communauté pour adultes » : elle comprend aussi un établissement d'aide au maintien de l'autonomie et un foyer qui donne des soins infirmiers. Donc, à mesure que ton corps et ton esprit se détériorent, on te balance d'un niveau au suivant sans que tu sois obligé de quitter les lieux avant de mourir. Alors, ouais. Je l'ai échappé belle."

LE SERVICE FUNÈBRE eut lieu à l'église épiscopalienne All Souls en présence d'une petite assemblée. L'urne contenant les cendres de George fut placée sur un piédestal dans la nef. Près d'elle, une photo de George tirée de l'album de la promotion 1962 de Yale. Le moniteur de tennis de George était venu, comme l'agent immobilier qui leur avait loué l'appartement et six ou huit habitants de l'immeuble – des retraités descendus du Nord, des couples que les Pelham auraient eu envie de mieux connaître mais n'en avaient pas eu le temps. Sinon, l'assistance se composait des deux frères et de la sœur de George accompagnés de quelques conjoints, enfants et petits-enfants. Et il y avait Jane, bien sûr, qui pendant la brève cérémonie était restée assise sur le banc de devant à côté d'Isabel. Elle avait décliné l'invitation du pasteur lui demandant de dire quelques mots sur George, de partager des souvenirs avec l'assistance, de raconter une anecdote personnelle sur l'amour que, toute sa vie, George avait porté aux monts Adirondacks – monts que le pasteur avait appelés par erreur les Appalaches. Jane avait la phobie de parler en public. Ce fut l'un des frères cadets de George qui parla de son amour pour les Adirondacks, et un de ses neveux rappela à la petite assemblée que George avait toujours consenti à écrire des lettres de recommandation pour le pensionnat Groton* dont il était lui-même un ancien élève, dès qu'un des garçons Pelham demandait à y être admis.

En dehors de Jane, personne ne représentait l'externat High Peaks Country ni le village de Keene. Ce qui n'avait rien d'aberrant, répondit Jane à Isabel quand celle-ci s'offusqua de l'absence des gens du Nord. Le voyage coûtait cher, prenait une journée

---

* École secondaire privée, épiscopalienne, qui prépare aux meilleures universités américaines.

entière à l'aller comme au retour, et la plupart des gens là-haut supposaient sans doute qu'une cérémonie commémorative se tiendrait à Keene en juin ou juillet, lorsque l'année scolaire serait terminée, que les estivants qui avaient connu George personnellement seraient de retour, et qu'Isabel serait elle aussi rentrée de son séjour ici, à Miami Beach.

"Oui, c'est ça, dit Isabel. *Si* je retourne à Keene pour l'été. Et si je décide de faire une cérémonie commémorative."

LORS DE LA RÉCEPTION qui eut lieu à l'appartement, Isabel posa l'urne contenant les cendres de George sur le buffet de la salle à manger, puis, debout à côté de l'urne comme pour prêter à ses paroles l'autorité de George, elle annonça pour la première fois en public qu'elle avait décidé de passer le reste de l'hiver seule dans l'appartement de Miami Beach. "J'aurai les cendres de George pour me tenir compagnie, dit-elle. Mais seulement jusqu'au jour où je les rapporterai à Keene et les disperserai du haut du mont Marcy, car c'est ce qu'il a toujours dit vouloir. À ce moment-là, je devrais être capable de vivre sans continuer à l'avoir à mes côtés."

Elle ajouta qu'elle projetait d'utiliser l'argent de l'assurance vie de George pour acheter l'appartement qu'ils avaient loué, et que désormais elle passerait tous ses hivers ici. Elle parlait avec une fermeté si peu habituelle chez elle qu'aucun proche de George ne chercha à l'en dissuader.

Lorsque les autres invités furent partis, les membres de la famille de George qui étaient descendus au Lido de Belle Isle profitèrent de l'occasion pour aller prendre un repas chinois. Ils voulaient parler entre eux de l'argent de George – des sommes qui, étant donné qu'Isabel et lui n'avaient pas d'enfant, allaient sous peu revenir à Isabel. George et Isabel avaient travaillé pendant toute leur vie de couple en tant qu'enseignants sous-payés et, à eux deux, ils avaient constitué auprès du fonds de pension TIAA-CREF une épargne-retraite se montant à un million de dollars. Mais George, comme ses deux frères et sa sœur, appartenait à une famille qui avait possédé au début du XXe siècle non seulement des montagnes de minerai de fer dans le Minnesota mais aussi, à Pittsburgh, divers établissements industriels rattachés à la sidérurgie. Du coup, sa moitié de compte épargne-retraite ne représentait qu'une petite fraction de la part qui revenait à George dans la fortune familiale. Dès le début de son mariage, George avait minutieusement géré les modestes finances du couple, et ses proches parents avaient donc quelques raisons de craindre que leur belle-sœur qui, à leur connaissance, n'avait jamais réglé de facture toute seule ni rédigé de chèque dépassant la valeur des courses alimentaires hebdomadaires, ne soit pas très fiable comme gardienne de sa nouvelle richesse.

George avait enseigné les maths et la géométrie, mais Isabel avait donné des cours de littérature et d'histoire de l'art, et la famille la considérait comme légèrement excentrique, peut-être même artiste. Ses origines n'étaient pas non plus rassurantes. Ses parents avaient été les propriétaires-gérants d'un petit motel de Cedar Rapids, dans l'Iowa. Fille unique très brillante, elle était étudiante boursière au Smith College quand elle avait fait la connaissance de George qui, lui, venait juste de prendre un poste d'enseignant à la Deerfield Academy* non loin de Smith. La famille espérait donc que George avait eu la prévoyance de créer une fiducie dont un de ses frères et sœur (voire tous) serait le fiduciaire, et que cette disposition fournirait à Isabel des revenus mensuels suffisants pour ses dépenses courantes tout en préservant le reste de la fortune de George pour les futures générations de Pelham. Ils regrettaient de ne pas avoir discuté avec lui de cette éventualité bien des années plus tôt. Mais quand il était question d'argent, George, comme ses frères et sa sœur, était aussi avare de paroles qu'il l'était de ses sous, et personne n'avait eu envie de l'entreprendre sur ce sujet.

COMME DES ADOS, Isabel et Jane mangèrent debout devant le frigo ouvert : à l'aide de baguettes, elles picorèrent dans des barquettes contenant des restes de salade de poulet au curry et de couscous à emporter. Ensuite, Isabel ouvrit une bouteille bien fraîche de sauvignon blanc néo-zélandais. Avec Jane, elle porta les verres et la bouteille sur le balcon où elles s'assirent et burent en regardant le soleil couchant glisser sur un ciel de plus en plus sombre. Le disque jaune crémeux, pas plus grand qu'une pièce de monnaie, se transforma rapidement, dès qu'il descendit derrière les gratte-ciel et les tours de verre et d'acier qui se dressaient sur l'autre rive de la baie de Biscayne, en une grande boule de feu écarlate.

Isabel dit : "Regarde, quand le soleil est à moitié au-dessous de l'horizon, tu peux littéralement le voir bouger. C'est comme le sable dans un sablier : il

* Internat privé pour élèves du secondaire.

coule de plus en plus vite à mesure qu'il s'approche de la fin. Je devrais savoir pourquoi ça se passe comme ça, mais je ne le sais pas. George l'aurait su, lui. Ça a sans doute quelque chose à voir avec l'optique et la géométrie.

— Quelque chose à voir avec le temps, dit Jane avant de remplir encore son verre à la bouteille posée sur la table entre elle et Isabel. Alors, qu'est-ce que tu vas faire, maintenant ?

— C'est intéressant, la façon qu'on a d'utiliser « alors » pour signaler qu'on change de sujet. Quoi qu'il en soit, que vais-je faire maintenant que George n'est plus là ?

— Oui, avec ta vieillesse qui arrive à grands pas.

— Je suis vieille, Janey, mais je ne suis pas sénile. Du moins, pas encore. George aimait résoudre les problèmes avant qu'ils ne surviennent. Moi, je préfère les résoudre après.

— Et maintenant tu peux le faire ? Résoudre tes problèmes après leur apparition ?

— Exactement.

— Je suppose que c'est comme Frank : quand il a besoin d'un peu de détente, il prend son fusil ou ses cannes à pêche, selon la saison, et il monte au camp avec ses copains de chasse et de pêche, tous des mecs. Là, ils se racontent des mensonges, picolent et restent sans se raser et se laver. Moi, quand j'ai besoin de détente, je descends au monastère de Woodstock et je fais zazen pendant un long week-end.

— Non, ce n'est pas ça.

— Pourquoi ?

— Parce que tu n'es pas obligée de choisir l'un des deux : soit le camp de pêche ou de chasse dans les bois, soit le monastère avec les bouddhistes. Moi, j'ai dû choisir. Soit *Sam Suffit*, la maison de retraite de Saratoga avec George, soit un appartement à Miami Beach avec personne. L'un ou l'autre. Pas un choix formidable.

— Et maintenant tu n'es pas obligée de choisir.

— Non. Maintenant, je *peux* choisir. Et je choisis un appartement à Miami Beach avec personne.

— Ce que je voulais dire, c'est seulement que Frank et moi sommes différents. De même que George et toi êtes… étiez différents.

— Tout juste. Alors, Janey, pour changer de sujet, est-ce que tu pourras rester quelques jours une fois que tous les autres seront partis ? demanda Isabel. Je vais avoir besoin d'aide pour transporter les affaires de George dans un garde-meuble – ses vêtements et ses affaires personnelles, des choses que je ne veux pas ou dont je n'ai pas besoin. Je préférerais que sa famille ne s'en mêle pas pour l'instant. Je voudrais mettre tout ça en ordre sans les avoir sur le dos. Je ne dis pas que ce sont des vautours, mais ils gardent des inventaires d'à peu près tout dans leur tête et sur leurs ordinateurs. Comme George.

— Oui, dit Jane, je me souviens qu'il était extrêmement précis et ordonné. Mais je l'ai toujours admiré pour ça. Pas comme Frank.

— C'est vrai. Il n'était pas comme Frank. Plutôt comme toi, en fait, dit-elle avec un petit rire.

— Par certains côtés, peut-être. Tu vas bien, Isabel ? On dirait que… Je sais pas, que tu retiens ton chagrin. Ton sentiment de perte.

— Tu me demandes si je suis dans ce que vous, les psys, appelez le déni ? Probablement. Dans quelque temps je suis sûre que je vais me sentir brisée par l'absence de George. J'étais tellement habituée à sa présence. Mais pour l'instant, la vérité c'est que je me sens libérée par cette absence. Et juste un tout petit peu coupable. Et puis il n'a pas souffert. J'espère que nous aurons tous autant de chance."

ISABEL ALLA SE COUCHER de bonne heure. Jane se dit que c'était pour éviter la compagnie des frères et de la sœur de George, de leurs conjoints et de leurs enfants, pour la plupart déjà adultes, ainsi que de leurs petits-enfants. Malgré une journée ardue et stressante, Isabel n'avait absolument pas paru fatiguée. Bien au contraire, en fait.

Au lieu de rentrer au Lido où ils avaient réservé toute une série de chambres, les membres de la famille traînèrent encore une demi-heure avec Jane dans l'appartement. Ils n'arrêtaient pas de répéter que c'était un hôtel très chic, comme si son élégance avait quelque chose de déroutant et d'un peu menaçant, comme si le prix les inquiétait aussi. Ils auraient préféré dormir sur le continent dans un hôtel Marriott ou Holiday Inn, mais ils avaient voulu prendre des chambres proches de l'appartement de leur frère, disaient-ils, au cas où leur belle-sœur aurait eu constamment besoin d'être aidée et consolée, ce qui de toute évidence n'était pas le cas.

Quand ils partirent enfin, Jane lava les verres, éteignit les lampes une à une et se rendit dans la chambre d'amis. Elle savait que Frank s'attendait à ce qu'elle lui téléphone ce soir, car demain il serait au camp, hors de la zone de couverture des téléphones portables pendant au moins une semaine. Mais elle n'avait pas envie de lui parler. Elle ne voulait pas se regarder ni regarder Isabel à travers les yeux critiques de son mari. En tout cas pas ce soir où sa façon de se voir et de voir sa meilleure amie était si changeante et si floue. S'asseyant sur le lit, elle décida de lui envoyer un SMS. Chaque fois que c'était possible, elle choisissait un texto plutôt qu'une conversation – avec les SMS, elle contrôlait mieux à la fois ce qu'elle disait et ce qu'elle entendait ainsi que le moment où elle le disait et l'entendait. Il y avait moins de surprises ainsi. Jane n'aimait pas les surprises.

Elle tapa avec son pouce : *Je résous les problèmes avant qu'ils arrivent, toi après.* Elle relut son message trois fois puis l'effaça. Recommençant, elle écrivit cette fois : *Quand j'ai besoin de détente, je vais au monastère. Quand t'as besoin de détente, tu vas dans ta caverne de mecs.* Elle rit presque toute seule et effaça aussi ce message.

Elle se leva, alla jusqu'à la fenêtre et regarda dehors. Une demi-lune était suspendue dans le quadrant sud-ouest du ciel. Les lumières de la ville miroitaient sur la surface noire et ridée de la baie ; les phares des voitures qui roulaient sans cesse sur le viaduc en forme d'arche reliant le continent à Miami Beach ressemblaient à des perles d'or glissant le long d'un fil. Elle pouvait comprendre pourquoi la perspective de vivre seule à Miami Beach en tant que sexagénaire, puis septuagénaire et peut-être même octogénaire, avait fasciné Isabel. C'était un nouveau monde, une ville semi-tropicale et latino-américaine où tout fonctionnait parce qu'elle ne se trouvait justement pas en Amérique latine. Une vie toute neuve l'attendait ici. Après presque quarante ans de vie conjugale, Isabel, comme n'importe quelle autre femme, avait fait tant de petits compromis, tant de concessions pour faire coïncider sa vision de ce qui était désirable et nécessaire avec celle de son mari, qu'elle ne savait sans doute plus ce qui, pour elle seule, était vraiment désirable et nécessaire. Pour Jane, c'était compréhensible : brusquement délivrée de la prudence et de la retenue de George, Isabel pouvait trouver fascinante, séduisante, libératrice, l'idée de passer ici six mois par an. Devenir un "oiseau des neiges", voilà le cœur de l'affaire, ce qui n'aurait jamais vraiment plu à George. Il aurait peut-être accepté de tenter la chose, mais seulement pour prouver que c'était une très mauvaise idée.

À bien des égards, c'était une ville de jeunes – surtout ici, Miami Beach, chaîne d'îles-barrières rendue hyper-glamour par les films et la télévision, célèbre par la drogue, la violence et la richesse illicite, chic par son architecture art déco et les shootings mode. On avait l'impression que tous les moins de trente ans doués et ambitieux qui ne pouvaient pas aller à New York ou à Los Angeles optaient pour Miami. C'était aussi une ville où, pendant des générations, les gens âgés du Nord étaient venus s'asseoir dans les parcs, le visage au soleil, un livre ou un journal qu'ils ne lisaient pas posé sur leurs genoux, en attendant que leur respiration s'arrête. Isabel n'était évidemment pas une jeune attirée par le glamour, la célébrité et le chic de Miami Beach ; mais elle n'était pas non plus un de ces vieux qui attendent de mourir. Debout devant la fenêtre, son téléphone portable à la main, Jane tapa : *Isabel très mal. V peut-être devoir rester + que prévu. Appelle-moi à ton retour du camp. Bises, J.* Elle appuya rapidement sur la touche *envoyer* avant d'avoir la possibilité de taper sur *effacer*.

LES MEMBRES DE LA FAMILLE de George reprirent l'avion pour regagner leur maison, leur travail ou leur école en Nouvelle-Angleterre et dans le Nord de l'État de New York, et, dès le lendemain, Isabel et Jane s'occupèrent d'emballer les affaires de George. Avec le cabriolet décapoté et Jane à son côté, Isabel se rendit à Office Max, dans l'Avenue ouest, où elle acheta une demi-douzaine de boîtes d'archivage et d'autres cartons plus grands, du ruban adhésif, des étiquettes et des marqueurs. Sur le chemin du retour, elle s'arrêta au garde-meuble Public Storage, à l'angle de l'Avenue ouest et du boulevard Dade, où elle réserva un box de rangement de trois mètres sur un mètre cinquante à température contrôlée. Puis les deux femmes décidèrent de prendre un long déjeuner à la terrasse du café-librairie de Lincoln Road.

Lorsqu'elles eurent commandé leur repas, Isabel leva son verre d'eau et déclara : "Jane, je suis vraiment contente que ce soit toi, parmi tous ceux que je connais, qui puisses être ici avec moi à Miami Beach. Je suis vraiment contente de pouvoir partager avec toi à la fois la tâche et le plaisir d'organiser ma nouvelle vie." Elle tendit son verre, et elles trinquèrent.

Jane déclara : "En fait, j'étais surtout venue avec l'idée de te tenir la main, de t'aider à affronter la mort de George. Mais ça, c'est bien plus… je sais pas, disons, marrant. Plus que ça ne devrait. Donc, c'est comme un plaisir coupable. Tu n'as pas tellement besoin qu'on te tienne la main et tu sembles affronter la situation étonnamment bien. Si je perdais Frank…" Elle ne termina pas sa phrase. Elle regarda deux hommes sur des rollers, deux jeunes d'une vingtaine d'années, bronzés, au corps ferme, torse nu et sans poils avec des shorts moulants et des lunettes de soleil panoramiques. Ils passèrent comme l'éclair devant le café, foncèrent comme des oiseaux de proie entre les gens qui faisaient leurs courses et les badauds qui se promenaient nonchalamment sur le trottoir, et disparurent. "Si je perdais Frank…, reprit-elle, eh bien, d'abord je ne pourrais pas garder la maison. On l'a hypothéquée à mort, d'abord pour permettre aux filles de terminer l'université et maintenant pour les aider à rembourser leurs emprunts d'étudiantes. Ces dernières années, comme le magasin périclitait et que Frank était souvent sans travail, ç'a été dur. Parfois, on a été obligés de vivre uniquement de mes revenus qui ne sont pas mirobolants, tu peux me croire. Mais je suppose que, pour toi, la situation est différente.

— Financièrement, oui. Ma petite pension de l'externat High Peaks Country et notre compte joint à la banque Adirondack devraient plus que couvrir mes dépenses en attendant que je remonte à Keene et que je liquide la succession. Et il y a une chose que je ne peux dire à personne d'autre qu'à toi, Jane, alors ne me cite pas, dit-elle en baissant la voix. Le fait de savoir que je vais bientôt être une femme très riche m'a rendu la mort de George beaucoup plus supportable. Ça a l'air affreux, mais c'est vrai.

— Je croyais que tu aimais Frank! dit Jane. Je veux dire George. Je croyais que tu aimais George."

Isabel eut un sourire. "Bien sûr, que je l'aimais! Et il va me manquer terriblement. Nous avons été mariés trente-sept ans. Et je pourrais me focaliser là-dessus, sur ce que j'ai perdu. Je devrais peut-être, d'ailleurs. La plupart des veuves le feraient. Ou bien je pourrais me focaliser sur ce que j'ai vécu de bien, trente-sept ans en sa compagnie, et en être reconnaissante. Mais quand tu as été toute ta vie mariée à quelqu'un et que ce quelqu'un meurt, d'une certaine façon tu meurs aussi. Sauf si tu décides de renaître transformée en quelqu'un d'autre, en une personne encore indéfinie. Alors, c'est presque comme si tu avais l'occasion de redevenir adolescente. Pour l'instant, c'est comme ça que je me sens. Comme une ado. Franchement, Jane, je ne me suis pas sentie comme ça depuis l'âge de quinze ans !

— Mais alors, vous deux, vous n'étiez pas heureux dans votre mariage ? J'ai toujours eu l'impression que vous étiez heureux ensemble. Comme Frank et moi.

— Eh bien, mais certainement, Janey ! Par bien des côtés, on était comme Frank et toi. Tu as intérêt à garder ça en tête, ma belle", dit-elle avant de se mettre à rire.

JANE FUT TOUCHÉE de voir avec quel soin George avait rangé sa garde-robe. Elle se l'imagina en train de sortir ses vêtements du sèche-linge et de plier soigneusement chaque article. Les chaussettes étaient enroulées et disposées en rangs selon leur couleur ; les chemises étaient pliées et empilées dans leur tiroir d'après la couleur et le tissu ; les cravates dans le placard, triées selon qu'elles étaient unies, rayées ou à motif ; les costumes, les vestes et les pantalons étaient suspendus et rangés en fonction de la couleur et du tissu : des plus clairs aux plus foncés, des plus fins aux plus épais ; les chaussures, alignées par paires sur le plancher au-dessous des costumes et des vestes, ressemblaient un peu à de grosses pattes de mammifères : d'abord les marron, puis les noires et enfin les tennis. Même ses sous-vêtements étaient pliés et empilés de telle façon qu'on pouvait les prendre facilement, comme dans un magasin de vêtements pour hommes. "George aimait dire qu'il le faisait pour être capable de s'habiller dans le noir s'il y était obligé, déclara Isabel. Mais il n'y a jamais été obligé."

Quant aux dossiers que George avait expédiés de Keene pour l'hiver, ils étaient si nombreux qu'il avait installé pour eux un classeur à deux tiroirs dans la chambre principale. À présent, ils remplissaient quatre boîtes d'archivage. Isabel remarqua que George était comme un écureuil, qu'il accumulait les choses obsessionnellement et transportait avec lui tout ce qu'il accumulait. Le printemps prochain, elle verrait quels dossiers garder et elle détruirait les autres. On pouvait se dispenser de la plupart. Pour l'instant, elle ne conserverait avec elle que les documents et les papiers dont elle aurait besoin pour l'achat de l'appartement. Elle finaliserait la transaction pendant l'été, lorsque la succession de George et la question de l'assurance seraient réglées. Pour faire avancer les formalités, elle avait numérisé le certificat de décès de George et elle en avait déjà envoyé des copies par courriel à Ron Briggs, le notaire de George à Lake Placid, ainsi qu'à Tim Lynch, son agent d'assurances. La lecture des dernières volontés de George et de son testament ne pourrait pas avoir lieu avant qu'Isabel ne se rende chez Briggs qui avait établi ce testament et l'avait amendé et révisé tous les ans selon les instructions changeantes de George. Elle ne savait pas ce qu'il contenait et n'avait jamais éprouvé un grand désir de le savoir. C'était comme le portefeuille d'investissements de George – ça ne la regardait pas vraiment, et, pour lui, il s'agissait plus d'un passe-temps ou d'une petite obsession que de gestion d'argent. Ce qui lui plaisait, là-dedans, c'était d'y réfléchir, de réorganiser et de remanier son portefeuille sur son ordinateur tard le soir avant de monter se coucher.

Les deux femmes portèrent les boîtes dans le cabriolet, remplissant ainsi le coffre et le siège arrière, puis elles se rendirent à l'immeuble de Public Storage où elles déposèrent les affaires personnelles et les papiers de George dans le box 1032, refermèrent à clé et repartirent. Après ces travaux, Jane se sentit étourdie et éblouie, inexplicablement euphorique, comme si Isabel et elle venaient de commettre avec succès quelque acte criminel, un cambriolage ou un braquage de banque. Dans la voiture, lors du trajet qui les ramenait à l'appartement, Jane se mit à crier par-dessus le bruit du vent : "On aurait dû mettre les cendres de George dans le box avec toutes ses affaires ! Ses cendres cinéraires ! Est-ce vraiment comme ça qu'on les appelle ? Des « cendres cinéraires » ?

— Ouais, si l'on en croit Digger O'Dell. Mais tu as raison ! On devrait mettre George au garde-meuble avec ses autres affaires ! Son urne est encore dans l'appart, sur le buffet. J'ai complètement oublié de l'emballer.

— On n'a qu'à aller le chercher tout de suite, dit Jane. Ou plutôt, *la* chercher – l'urne. Les cendres.

— George."

ISABEL POSA L'URNE en bois sur la table de la salle à manger, prit une chaise et s'assit. Elle dévissa lentement le couvercle sans toutefois l'enlever. "Je ne sais pas pourquoi, dit-elle, mais soudain ça me rend nerveuse. C'est comme si c'était la dernière fois que j'allais voir mon mari. À moins que ce ne soit la première. Comme si, pendant toutes les années où j'ai été mariée avec lui, je ne l'avais jamais vraiment vu et que, maintenant, ce que j'ai refusé de reconnaître se trouvait dans ce vase."

Jane lui répondit que ça n'avait aucun sens. Dans l'urne, il n'y avait rien qu'une demi-livre de cendres. "D'accord, des cendres humaines. Les cendres de George. Mais c'est de la matière inerte, Isabel. C'est pas George.

— Je sais, je sais. Mais depuis qu'il est mort, je me sens planer, presque comme si j'étais défoncée, et je trouve ma vie plus excitante que depuis des années. Peut-être que depuis toujours. J'ai l'impression que ça se voit. Et puis maintenant, tout d'un coup, alors que j'en avais rien à foutre, j'ai presque honte de ne pas m'être comportée comme on est censé le faire quand on a perdu quelqu'un et qu'on est en deuil. Honte de ne même pas me sentir privée de ce quelqu'un ni endeuillée. Et j'ai super-peur, Jane. C'est comme si George, furieux et fou de vengeance, était coincé dans ce vase en bois, comme s'il était le mauvais génie à l'intérieur d'une lanterne magique. En enlevant le couvercle, je vais lui donner la liberté de me tourmenter et de me hanter.

— Tu n'es pas obligée de l'ouvrir. Tu n'as qu'à laisser le mauvais génie prisonnier là-dedans pour toujours, dit Jane en tendant la main vers l'urne. Elle l'attrapa par le col, mais Isabel la retint en tirant de son côté. Le couvercle se détacha et les deux femmes lâchèrent en même temps : des cendres grises et blanches se répandirent sur la table. L'urne roula et tomba sur le sol carrelé.

"Oh, mon Dieu! dit Jane. Je suis vraiment désolée!

— C'est ma faute, dit Isabel. Ma faute." Elle recula un peu sa chaise et, restant assise, elle se pencha en avant pour examiner de près le tas de cendres. Tendant la main droite, elle passa son index au milieu des cendres renversées, le fit aller et venir, répandant ainsi les cendres sur la table comme si elle cherchait une bague perdue, un petit reste de son mariage, ou un présage qui lui dirait comment vivre sa vie à l'avenir. Ce qu'elle découvrit, ce furent six boutons d'acier qu'elle rassembla dans sa main gauche. "Regarde! dit-elle en les tendant à Jane.

— Quoi?

— Des boutons de l'US Navy. Du moins, je crois que les ancres veulent dire ça.

— Et alors?

— Ils n'appartiennent pas à George. Il n'a jamais été dans la marine. Il était objecteur de conscience pendant la guerre du Viêtnam et il travaillait à McLean, l'hôpital psychiatrique de Boston. Ensuite, il a enseigné. Il n'a jamais porté d'uniforme militaire. Il n'a jamais eu de vêtement avec des boutons comme ça.

— Alors, ce n'est pas George?"

Pendant un long moment, les deux femmes se regardèrent en silence. À la fin, Isabel secoua la tête et déclara : "Je sais pas si je dois rire ou pleurer. En fait, je suis soulagée que ce ne soit pas George. Parce que c'est sûr, ce n'est pas lui. Ces cendres, c'est personne!

— Est-ce qu'on devrait les rapporter à Digger O'Dell, l'Amical Entrepreneur de pompes funèbres? demanda Jane. Ou juste les aspirer, et une fois le nettoyage terminé, balancer le sac de l'aspirateur dans le vide-ordures?" Jane se mit à rire – d'abord de petits gloussements étouffés, puis des rires plus forts et plus longs qui l'empêchaient de parler. Isabel s'y mit à son tour, et en quelques secondes les deux femmes hurlaient de rire, s'en étouffant presque, avec des larmes qui leur coulaient sur les joues. Quelle absurdité, quelle idiotie, quel ridicule de croire que ces cendres n'étaient pas tout simplement les cendres de George, qu'elles étaient vraiment lui, George Pelham en personne revenu hanter sa veuve tout récemment émancipée !

Quand elle réussit enfin à réfréner sa crise de rire, Jane déclara : "Tu te rends compte que quelqu'un, dans le coin, a ton George dans une urne ? Mais si on rapporte celle-là à Digger, si on exige qu'il nous l'échange contre celle de George – en supposant qu'il sache seulement à qui il a donné George –, à quoi ça va servir ?"

Pour Isabel, tenter d'échanger ces cendres contre George n'avait aucun sens. Et non seulement ça n'avait pas de sens, mais c'était cruel envers ceux qui avaient George sans savoir encore qu'ils ne possédaient pas là le corps incinéré de leur mari ou de leur père. Elle ajouta que probablement, à cette heure, George avait déjà été jeté dans le Gulf Stream depuis la poupe d'un bateau, ou bien il avait été disséminé dans les eaux vertes de la baie de Biscayne. Ou alors il avait son sanctuaire sur l'autel d'une salle de séjour, entouré de cierges, de statues de saints et d'orishas, de chaussons de bébé, de colliers de cauris et de pattes de poule. Ce qui aurait vraiment mis George en rogne. "Je commence à adorer l'idée que les cendres soient réellement quelqu'un. Un inconnu.

— Mais comment sais-tu que ce sont les cendres d'un homme ? D'un mari ou d'un père, demanda Jane.

— Oh, je le sens. Tu le sens toujours, quand un homme est dans la maison. Il a tendance à pomper toute l'énergie disponible.

— Bon, alors, qu'est-ce qu'on va faire de ces cendres? On ne peut quand même pas simplement les aspirer et puis jeter le sac de l'aspirateur dans le vide-ordures.

— Pourquoi pas?

— Ouais! Pourquoi pas?"

PLUS TARD, LES DEUX FEMMES s'assirent sur la terrasse où elles sirotèrent du vin blanc, et une fois de plus elles regardèrent le soleil se coucher derrière la ligne des immeubles de Miami. Quelque part à l'intérieur de l'appartement, le portable de Jane se mit à sonner. "Ça doit être Frank", dit-elle. Elle attendit une demi-minute, soupira, posa son verre et quitta la terrasse pour aller répondre. Le téléphone se trouvait dans son sac sur le lit de la chambre d'amis, mais elle réussit à l'extraire avant que le répondeur s'enclenche. C'était Frank.

Elle sut aussitôt qu'il était en colère, même s'il essayait de le cacher. "Heureusement que je t'ai chopée, dit-il. Je me disais qu'Isabel et toi étiez peut-être sorties faire la fête en ville, ce soir."

Elle répondit que non, qu'elles comptaient rester à la maison regarder un film. Elle lui demanda s'il avait tué son cerf. Il y avait des années qu'elle avait appris à poser la question de cette façon, à ne pas demander s'il avait "eu" ou "abattu" un cerf. Et c'était *son* cerf, pas *un* cerf.

Il dit que oui, un six-cors de cinquante-sept kilos, dépecé, emballé, déjà au congélateur. "Je l'ai tué au nord de Baxter, d'un seul coup à cinquante mètres. Alors, quand est-ce que tu prévois de rentrer à la maison?" demanda-t-il. C'était plus une injonction qu'une question.

Elle dit : "Je sais pas trop." Ce qui était vrai, comme elle s'en rendit compte en le disant.

"Ouais, bon, très bien. Mais ce boulot de gardien de nuit au Whiteface Lodge, je l'ai finalement eu. Il faut que je commence demain à minuit. C'est le foutoir dans la maison.

— Eh bien, tu n'as qu'à nettoyer.

— J'aurai pas le temps. Parce que je me coltine le travail de nuit. Je voulais juste te prévenir au cas où tu rentrerais demain soir. J'espérais que tu pourrais être de retour ici dans pas longtemps. Ton patron, le Dr Costanza, a téléphoné depuis l'externat. Il a laissé deux messages pour savoir si tu avais l'intention de reprendre le travail bientôt. Ce sont ses paroles. Je l'ai pas rappelé parce que j'avais pas de réponse à lui donner. Tu veux que je lui téléphone ?"

Elle dit non, qu'elle s'en chargerait elle-même. Elle s'assit sur le lit, posa le téléphone sur ses genoux une seconde puis le ramena contre son oreille.

Il était en train de dire : "Alors, quand est-ce que tu rentres ?"

Elle ne répondit pas.

Isabel se tenait debout dans l'embrasure de la porte, son verre de vin à la main. Elle regardait Jane fixement, sans ciller, et sa bouche articula les mots : *Reste aussi longtemps que tu veux.*

Jane lui renvoya un regard attentif et hocha la tête. Elle déclara à son mari : "Frank, je ne sais vraiment pas quand je vais rentrer.

— C'est pas de très bon augure. C'est pour Isabel, que tu restes, ou pour toi ?"

Elle hésita puis répondit : "Les deux."

Frank garda le silence un instant. Puis il dit : "D'après le mec de Canal 5, Tom Messner, on est censé avoir de la neige, ce week-end. Jusqu'à trente centimètres. Il a fait moins vingt-trois ce matin. En ce moment, il fait moins vingt, ici, devant la maison.

— Hier, il faisait vingt-sept, ici, avec du soleil. C'est à peu près pareil tous les jours, ici.

— Ouah! Sauf pendant la saison des cyclones, pas vrai?

— Oui, dit-elle, sauf pendant la saison des cyclones." Elle ajouta qu'elle devait y aller, que c'était l'heure du film. Elle lui souhaita bonne chance pour le lendemain et son nouveau travail. Il la remercia, ils se dirent au revoir et mirent fin à la communication.

Isabel posa son verre sur la table de nuit, s'assit près de Jane et l'entoura de ses bras. Ce fut d'abord presque un geste maternel, réconfortant, consolateur, le genre d'embrassade dont Jane avait pensé gratifier Isabel mais pas recevoir d'elle. Pendant un instant, ce geste donna à Jane l'impression de pouvoir être sans peur, comme Isabelle, de pouvoir renaître tout autre, en tant que personne non définie et puis, comme Isabel, de redevenir une adolescente. Elle posa sa tête contre l'épaule d'Isabel dont elle sentit le parfum mêlé de transpiration, et un frisson semblable à l'ombre d'un nuage passant sous le soleil se propagea le long de ses bras et de ses épaules, et lorsque ce frisson fut passé, elle eut la même sensation que si le soleil était ressorti de derrière le nuage et une grande chaleur enveloppa son corps.

Pendant un long moment, elles restèrent dans cette position, comme si chacune attendait que l'autre décide ce qu'elles allaient dire ou faire toutes les deux. Et quand aucune des deux ne décida, elles laissèrent retomber leurs bras, se tournèrent vers la porte ouverte et la salle de séjour qui était derrière, puis encore plus loin vers la porte-fenêtre et la terrasse, vers la baie vingt et un étages plus bas et la ville de l'autre côté de la baie, vers le soleil couchant qui éclatait en rouges écarlates sur l'horizon comme une boule de feu et traçait de longues raies cerise sur les nuages gris qui s'effilochaient au-dessus de la baie.

Pendant un long moment, aucune des deux femmes ne dit rien. À la fin, Isabel parla d'une voix à peine plus forte qu'un chuchotement. "Je serais heureuse que tu restes ici.

— Jusqu'à?

— Jusqu'à ce que tu décides ce que tu veux."

Jane se leva et avança d'un pas lent vers la porte. Elle s'arrêta une seconde à cette porte. Elle savait que le lendemain matin elle partirait pour rentrer chez elle, à Keene, pour retrouver le Nord hivernal, son mari, le père de ses deux filles déjà grandes, son froid compagnon qui serait le témoin permanent des années qui lui restaient. Se retournant, elle regarda Isabel qui l'observait debout près du lit, et elle comprit qu'elle avait déjà dit à Isabel tout ce qu'il était nécessaire de dire.

BIG DOG

L'APRÈS-MIDI OÙ LE DIRECTEUR DE LA FONDATION MacArthur téléphona à Erik pour lui annoncer qu'il avait gagné un prix MacArthur, Erik et Ellen avaient prévu de dîner à Saratoga Springs avec quatre amis proches. Le directeur demanda à Erik de garder la nouvelle pour lui jusqu'à ce que la presse en soit informée, mais Erik décida de l'annoncer malgré tout le soir même à Ted, Joan, Sam et Raphael.

Ellen n'était pas d'accord. "Tu ne penses pas que tu devrais attendre ? Comme il te l'a demandé ?

— Na-an, ils garderont le secret si je le leur demande." Ouvrant le frigo, il en sortit une canette de Heineken bien fraîche. "Qu'est-ce que tu crois ? Que Sam va l'annoncer dans une réunion de profs ? Que Ted va le faire paraître dans le journal ?

— Non, mais il se peut qu'ils le mentionnent à quelqu'un qui le fera.

— Je leur dirai que c'est strictement confidentiel. Merde, Ellen, je veux fêter ça. C'est un truc qui te change la vie !" Il ouvrit la Heineken d'un coup sec, s'envoya trois gorgées rapides et s'essuya le menton du revers de la main. "Putain ! Une subvention au génie !" Il fit un grand sourire et, lançant un bras autour d'Ellen, la serra contre lui.

Elle le repoussa doucement comme s'ils étaient en train de danser et que la musique venait de s'arrêter. Elle alluma la bouilloire électrique, prit un sachet de thé, le secoua et le laissa tomber dans une grande tasse. "Tu ne voudrais pas donner à manger aux chiennes maintenant? Comme ça, tu n'auras pas à le faire dans le noir avant qu'on sorte."

Il contempla les deux huskies de Sibérie qui dormaient près du poêle à bois. "Ouais. Bonne idée." Quelques secondes plus tard, alors qu'elle regardait son thé infuser, il demanda : "Pourquoi est-ce que j'ai l'impression que cette très bonne nouvelle ne te plaît pas tant que ça?

— Non, je suis heureuse que ça change ta vie, Erik. Vraiment. C'est ce que tu veux et tu le mérites. Mais je ne suis pas très sûre de vouloir que ça change la mienne.

— C'est à toi de choisir. Rien, dans ta vie, ne doit changer si tu ne le veux pas. Mais dans mon cas, dans quelques jours, dès que le communiqué de presse sera sorti, je ne pourrai plus rien maîtriser.

— Mon pauvre, dit-elle. Pauvre génie, ajouta-t-elle en lui touchant l'avant-bras du bout des doigts. Mais tu le mérites."

Ellen n'était pas la seule à croire qu'Erik Mann méritait un prix MacArthur. C'était un artiste qui réalisait des installations très élaborées aussi grandes qu'une salle de séjour moyenne en se servant de fournitures de plomberie de la marque American Standard et d'équipements de cuisine et de salles de bains qu'il achetait en gros à Saratoga Springs chez Spa City Supply. Il enseignait à la petite université Skidmore depuis plus de vingt ans et il était célèbre localement. Bien que son travail soit peu connu du grand public, ne soit pas très recherché par les collectionneurs et ne soit pas exposé aux quatre coins des États-Unis, il faisait l'admiration de nombreux artistes plus connus que lui et de certains critiques respectés. Erik était membre de l'Académie américaine des arts et des lettres, il avait reçu des prix et des bourses – mais jusqu'à présent, rien, évidemment, de comparable au MacArthur – et il avait une réputation enviable à l'étranger, surtout en Allemagne et au Japon où, dernièrement, on lui avait ménagé une rétrospective dans un hangar pour avions gros porteurs de l'aéroport international de Narita. Cette exposition avait rehaussé son statut international et le prix de ses œuvres. Mais à cause du côté théâtral de ses installations et de leur grande taille, peu d'entre elles avaient en fait été vendues. En revanche, que ses installations soient exposées ou pas, leur construction, depuis leur conception jusqu'à leur réalisation finale, était suivie et enregistrée, photographiée et filmée, et les documents ainsi produits étaient archivés au musée Tang de Skidmore où ces archives mêmes étaient considérées par des critiques et des universitaires comme des œuvres d'art de première importance.

Le prix consistait en un demi-million de dollars net d'impôt, réparti sur cinq ans. On ne fait pas acte de candidature pour un MacArthur. Un réseau anonyme opérant à plusieurs niveaux recommande quelqu'un à des jurés également anonymes, et ces jurés décident de la personne dont la vie et la carrière vont brusquement être ainsi embellies. Située à Chicago, la fondation MacArthur accorde à peine une douzaine de bourses par an, d'habitude à des chercheurs de pointe dans les sciences sociales et les mathématiques, à des poètes peu connus, à des écrivains qui produisent des œuvres ésotériques ou expérimentales de fiction ou de théâtre, à des érudits œuvrant dans des domaines tels que l'histoire de la danse au paléolithique ou l'herméneutique de la marelle, du jeu de billes et autres jeux d'enfants, domaines trop obscurs pour bénéficier d'une niche conventionnelle dans le monde académique. On appelle souvent ce prix la "subvention au génie".

Les MacArthur récompensent rarement des artistes plasticiens, et quand c'est le cas, il s'agit généralement d'un artiste conceptuel dont le travail ressemble davantage à du théâtre ou de la danse qu'à quelque chose de réalisé par des mains d'homme ou de femme dans un atelier. Raison de plus pour Erik de vouloir fêter son prix. Il avait construit de ses propres mains ses installations géantes de salles de bains et de cuisines dans un atelier de grande hauteur aménagé au rez-de-chaussée d'une fabrique du XIXe siècle. Cette usine était située sur la berge de l'Hudson, dans la ville de Schuylerville jadis prospère, à seize kilomètres à l'est de Saratoga Springs. Il avait acheté le bâtiment dix ans auparavant pour moins d'un an de salaire au moment où il avait été promu professeur titulaire. Il avait rénové lui-même la fabrique abandonnée, mettant à nu les murs de brique, remplaçant les énormes fenêtres, soulevant et nivelant les planchers en châtaignier, installant l'électricité, la plomberie et le chauffage central, ponçant et revernissant les planchers. Il considérait l'ensemble du bâtiment rénové – le studio du rez-de-chaussée, le logement qu'il occupait avec Ellen au premier étage et l'atelier de tissage d'Ellen au deuxième – comme peut-être la plus ambitieuse de ses installations. Il désignait d'ailleurs ce bâtiment comme "la mère de toutes les installations". Par sa conception, le processus de réalisation de cette installation-là était en effet continu et infini ; de plus, contrairement à ses autres œuvres, elle était dénuée d'ironie. Elle n'indiquait rien d'autre qu'elle-même.

En chemin pour aller chez Ted et Joan, ils s'arrêtèrent à la Wine Boutique de Wilton où ils achetèrent deux bouteilles de Dom Pérignon. La neige tombait en fins rideaux ouatés qui rendaient la route légèrement glissante. Ellen rappela à Erik qu'il avait déjà bu trois Heineken et lui dit de ralentir. "S'il continue à neiger, nous risquons de devoir passer la nuit chez Ted et Joan. Surtout après le champagne et ce qu'ils vont servir d'autre au dîner. Ils aiment bien qu'on ait le verre toujours plein, dit-elle. Je suppose que ça leur permet de remplir le leur sans que personne ne le remarque.

— Je détecte un brin de jugement dans ces paroles. Qu'en dirait ton maître ?

— Mon professeur.

— En effet, ton professeur." Ellen était bouddhiste ou plutôt, selon ses propres termes, étudiante en bouddhisme. Erik était catégoriquement ni l'un ni l'autre, et il aimait bien lui lancer des piques sur son attachement à cette discipline et sur sa pratique ainsi que sur sa dévotion envers son *rōshi*. Bien qu'ils n'aient jamais été mariés, Erik et Ellen étaient ensemble depuis trente-deux ans, presque toute leur vie d'adultes. Ils s'étaient rencontrés à New York lorsqu'ils avaient un peu plus de vingt ans ; elle étudiait le design à l'institut Pratt et il vivait dans le Lower East Side. Et lui, fils de plombier et petit-fils de charpentier, récemment diplômé de l'école des beaux-arts de Boston, était en train de s'inventer artiste de pied en cap. D'emblée ils avaient été bohèmes et sexuellement libérés, et leur vie commune avait connu des cahots et des turbulences. Il avait eu ses liaisons et elle, pour se venger, avait eu les siennes, mais au fil des ans il était devenu évident pour tous les deux que jamais personne d'autre ne les comprendrait ni ne les accepterait autant qu'ils se comprenaient et s'acceptaient l'un l'autre. Ils n'avaient pas eu d'enfants, et leur seul motif de dispute périodique, à présent, portait sur la manière de s'occuper de leurs deux chiennes, des huskies de Sibérie, et de les dresser. Ellen était maternelle à leur égard, mais Erik était le mâle alpha de la meute – du coup, Ellen l'avait surnommé Big Dog*.

Quand ils arrivèrent chez Ted et Joan, les deux autres invités, Sam et Raphael, étaient déjà installés sur le long canapé bas devant le feu, un verre à la main. Les deux hommes s'étaient mariés au mois de juin, peu après le passage de la loi autorisant le mariage entre personnes du même sexe dans l'État de New York, et ils se comportaient encore comme s'ils venaient de célébrer leurs noces, se quittant rarement des yeux. Sam aimait parler du fait d'être marié, surtout devant des couples hétérosexuels eux-mêmes mariés. "Cinq ans qu'on vit ensemble, et tous les matins, quand je me réveille et que je regarde de l'autre côté du lit, je vois mon mari, et c'est tout nouveau! Mais il y a quand même un petit côté de déjà-vu, expliqua-t-il. Du genre, Hello? Ça me rappelle pas quelque chose?"

* "Gros chien."

Au début de la cinquantaine, les cheveux gris acier coupés presque à ras et un corps svelte au ventre plat, Sam ressemblait davantage à un triathlète vieillissant qu'à un photographe dont les paysages en couleurs évoquaient de manière délibérée les tableaux champêtres de l'Hudson River School*. Ses photos avaient la taille de baies vitrées et chacune se vendait pour un nombre élevé de milliers de dollars. Mais Erik ne les appréciait guère. Il les trouvait molles, trop peu exigeantes pour l'œil.

Raphael, le mari de Sam, venait d'avoir trente ans et il avait été élève de Sam à Skidmore. Il écrivait un roman auquel il travaillait depuis son diplôme, mais, grâce à Sam, il n'était pas obligé de gagner sa vie tout en écrivant. Grand et mince, il avait une beauté sombre et intense, un long visage en bec d'aigle, la peau pâle et une crinière bouclée de cheveux acajou. C'était un jeune homme à l'intelligence ostentatoire avec un faible pour les sarcasmes – ce qui, tout le monde le savait, n'était qu'une façon de cacher son manque d'assurance. Être marié à un homme tel que Sam n'était pas chose facile, malgré – ou peut-être à cause de – sa générosité et son caractère chaleureux, le plaisir qu'il tirait ouvertement de son corps d'athlète bien entretenu et de son indéniable succès en tant qu'artiste et enseignant. Ellen prenait souvent en ces termes la défense de Raphael.

Erik trouvait les sarcasmes de Raphael irritants – il parlait de la négativité prétentieuse du jeune homme –, évitait de s'asseoir à côté de lui et ne lui

* Mouvement artistique regroupant, entre 1820 et 1870, des peintres paysagistes qui ont beaucoup représenté le fleuve Hudson et les monts Adirondacks.

adressait la parole que quand il ne pouvait pas faire autrement. Il avait un jour fait remarquer à Ellen que "si Raphael était une fille et pas un garçon, une ex-étudiante vivant avec Sam et à ses crochets, pourrais-je ajouter, vous, les femmes, vous ne seriez pas aussi indulgentes envers ce gamin".

Elle avait répliqué que si Raphael était une jolie ex-étudiante et non pas un bel homme gay, Erik s'intéresserait à ses opinions et ne la trouverait pas sarcastique mais spirituelle. Erik admit qu'il ne pouvait pas dire le contraire.

Ted prit leurs manteaux et Joan porta les deux bouteilles de Dom Pérignon à la cuisine. "Il vaut mieux que j'aille chercher les... comment ça s'appelle? Les flûtes, lança-t-elle. C'est pour fêter quoi, au fait?

— Je vais laisser Erik le dire, répondit Ellen. Bien qu'il ne soit pas censé en parler", ajouta-t-elle en suivant Joan dans la cuisine.

Sam, Raphael et Ted se tournèrent tous vers Erik tandis que Joan, faisant volte-face, retournait dans le séjour en portant toujours les deux bouteilles pas encore ouvertes. Ellen attendit juste de l'autre côté de la porte de la cuisine.

"Eh bien? fit Joan. Allez Big Dog, dis-le-nous." De sa part, c'était affectueux. De tous les hommes qu'elle connaissait, c'était Erik qu'elle préférait après Ted, et Erik le lui rendait bien. Ils s'amusaient souvent à se taquiner. Les attentions d'Erik la touchaient et la charmaient, et elle lui montrait son plaisir comme si elle savait que ça l'excitait sexuellement. Joan était une praticienne certifiée du toucher thérapeutique. Erik considérait son travail comme un canular à base d'autosuggestion, mais elle ne semblait pas s'en offenser. Elle croyait tellement à la théorie et à la pratique du toucher thérapeutique que presque n'importe quelle forme de scepticisme ou d'incrédulité lui paraissait être simplement de la bêtise ou traduire un mécanisme de défense ; et donc le matérialisme opiniâtre et appuyé d'Erik l'amusait – ce qui parfois poussait Erik à l'exagérer. "Ça fait des millénaires que des gens en soignent d'autres en les touchant", expliquait-elle souvent. C'était un savoir-faire qui s'enseignait et que pourrait apprendre même quelqu'un comme Erik qui, soulignait-elle, ferait sans doute un excellent praticien du toucher thérapeutique, étant donné la force et la sensibilité de ses mains. Elle avait proposé de lui donner des cours gratuits, mais il ne l'avait pas prise au mot. C'était une belle femme plantureuse avec une épaisse chevelure rousse, et il savait où ça mènerait.

Ted tendit à Erik un verre de vin rouge, remplit de nouveau le sien et lui indiqua d'un geste le fauteuil près du feu à côté de Raphael. Mais Erik préféra prendre le fauteuil à bascule dans le coin, comme s'il voulait éviter d'être au centre de la scène. On n'en a nul besoin quand on est celui que tout le monde veut entendre. Il but une gorgée de vin et déclara : "Ouais, c'est vrai, j'ai reçu aujourd'hui une nouvelle formidable. Mais il faut que vous me promettiez de ne pas en dire un mot à qui que ce soit. Pas avant que ce soit communiqué à la presse.

— La presse ? dit Ted. Pardon ? Mais c'est moi, bon sang ! Ce fameux communiqué, est-ce que tu es en train de le faire maintenant ? Ou bien est-ce que c'est absolument off ?

— C'est off, bordel. Confidentiel, Ted ! C'est ce que je suis en train de dire. Sinon, je m'arrête tout de suite et vous le lirez dans le *New York Times* la semaine prochaine.

— Mais bien sûr, Erik, ça reste entre nous, dit Joan. Je t'en prie! Teddy est formidable pour son… quoi? Son intégrité journalistique!"

Erik se demanda si elle n'était pas déjà un peu éméchée. Il savait que Ted et Joan avaient un problème de boisson, mais comme il n'était pas sûr de ne pas en avoir un lui-même, il passait sur le leur pour ne pas s'attarder sur le sien et laissait aux autres les commérages ou les interrogations inquiètes.

Ted et Joan étaient les plus anciens amis d'Erik et d'Ellen à Saratoga Springs. Chacun des deux avait deux grands enfants de son précédent mariage et une poignée de petits-enfants dont on voyait les portraits encadrés et les photos de vacances ou de camp d'été dans toute la maison, sur les murs, les étagères et au-dessus du Steinway où, tard le soir, Ted, généralement un peu ivre, jouait mal du Chopin. Ted avait débuté comme reporter dans le journal local, *The Saratogian*, l'année où Erik avait été engagé à Skidmore, mais il avait fait une ascension continue qui l'avait conduit à en devenir l'éditeur et le propriétaire. Joan et lui s'intéressaient aux arts de manière bien plus qu'occasionnelle. Ils possédaient deux tentures murales qu'Ellen avait tissées – sans toutefois leur avoir trouvé de mur adéquat – et trois paysages par Sam, dont l'un, *Lever de lune sur le lac George*, était accroché dans le séjour face à la cheminée. Ted avait par deux fois émis l'idée d'acheter une des installations d'Erik et d'en faire don à la collection permanente du musée Tang. Mais comme le manque d'espace ne permettait au musée de la montrer qu'en l'absence de toute autre exposition, Erik n'était pas très enclin à s'en séparer. Et puis il n'était pas tout à fait sûr que Ted ait parlé sérieusement.

"Bien. Aujourd'hui, j'ai reçu un coup de fil de la fondation MacArthur, commença Erik. Totalement inattendu." Il rapporta sa conversation avec le directeur aussi littéralement que son souvenir le lui permettait. Personne ne l'interrompit, et lorsqu'il eut terminé, les visages autour de lui brillaient de plaisir, remarqua-t-il, même celui de Raphael. Apparemment, avoir un ami macarthurisé était cool. Et, à voir la fierté et l'entrain qui se lisaient dans le regard d'Ellen, être la compagne d'un MacArthur et sa partenaire de toute une vie était encore plus cool.

"Ouah! s'écria Joan. C'est le truc le plus excitant que j'ai entendu de toute ma vie!" Et elle se précipita pour lui donner un baiser mouillé en plein sur la bouche.

Sam se leva et traversa la pièce jusqu'au fauteuil d'Erik. Là, s'agenouillant prestement, il prit la main gauche d'Erik et déposa un baiser sur son alliance comme si c'était l'anneau du pape. "Mon premier MacArthur", dit-il. Puis il se releva. "Sérieusement, Erik, mes félicitations! Je suis vraiment heureux pour toi!

— Oh, Sam, tu es trop drôle, dit Joan.

— Tu ne saurais pas qui sont les écrivains primés? demanda Raphael. Les abonnés habituels, j'imagine.

— Non, là, il n'y a pas d'abonnés, répondit Ted. Pour une fois, c'est un prix bien attribué. Quelle putain de bonne nouvelle! Et vraiment méritée. La subvention au génie! Félicitations, *man*!"

Joan intervint : "Prenez des amuse-gueules! Et n'oubliez pas les feuilletés, ils viennent de chez Mrs London's.

— Je ne sais pas qui sont les autres lauréats, dit Erik à Raphael sans le regarder. La seule chose que m'ait dite le gars, c'est la somme qui va avec le prix. Ils appellent ça une bourse, en fait, pas une subvention au génie. Je vais pouvoir prendre un congé exceptionnel de cinq ans.

— Je croyais que t'adorais enseigner, dit Ted.

— Je peux vivre sans pendant cinq ans, crois-moi, répondit Erik en riant. Plus de réunion de profs! Allez, Joan, ouvre le champagne et sers-nous!"

Elle ouvrit une bouteille tandis que Ted se chargeait de l'autre, et ils servirent tous les deux. Tout le monde but, même Raphael qui prenait rarement plus qu'un verre d'eau gazeuse avec une tranche de citron vert, et lorsqu'ils passèrent à la salle à manger pour dîner, ils parlaient très fort et paraissaient très heureux.

Tandis que Joan apportait de la cuisine, avec précaution, une soupière contenant un potage froid de poireaux et pommes de terre, Ted servit un pinot gris de bonne tenue. Arrivé au verre d'Erik, il fit une pause avant de verser et déclara : "Si tu me permets de le dire, *man*, la vérité c'est qu'il y a chez toi une sorte d'ouverture puissante qui attire la grâce. Je parle sérieusement. Elle n'attire évidemment pas la grâce d'en haut, dans le sens religieux, mais celle de l'univers en général. De la force vitale, *man*.

— C'est des conneries. J'ai du bol, c'est tout.

— Non, dit Joan, Ted a raison. C'est ce qu'on appelle le magnétisme. Ou le charisme. Tu as le bonheur d'en être doté, mon cher, et ça ne te vient pas simplement parce que tu as de la chance. Il faut le vouloir, l'attirer et le conquérir à force de travail et d'imagination. Et de talent. Jusqu'à ce que le monde et tout ce qui est dans le monde le reconnaissent en toi et l'honorent. C'est ce que Teddy veut dire en parlant de grâce. Comme avec ce prix.

— Arrête, c'est juste une putain de loterie… commença à répondre Erik.

— Laisse-moi finir, mon cher. Ce n'est pas une loterie. On t'a donné le MacArthur, bourse ou subvention ou ce que tu veux, parce que tu le mérites. C'est ce que voulait dire Teddy quand il a dit que tu attirais la grâce. De l'univers, de la force de vie."

Raphael dit : "Oh là là! Dans un instant, vous allez lui laver les pieds."

Erik dit : "Personne ne « mérite » un MacArthur.

— Tiens, mon cher, dit Joan en remplissant son assiette à soupe. Tu mérites au moins qu'on te serve en premier." Elle rendit son assiette à Erik et s'occupa de servir les autres.

"Je voudrais porter un toast", dit Sam en levant son verre. Les autres levèrent le leur. Erik fit lentement de même. Il ne savait pas pourquoi, mais la façon dont les choses se déroulaient ne lui plaisait pas. Il aurait sans doute dû suivre les instructions du directeur de la fondation et s'abstenir de mentionner son prix, laisser les autres l'apprendre dans une semaine quand ils liraient le *Times*. Un MacArthur était censé éliminer le besoin de rivaliser avec ses amis, ses collègues et autres artistes, mais bizarrement, pour Erik, il avait l'effet inverse.

"À la grâce! Et aux exceptions, parmi nous, qui l'attirent!" dit Sam.

Raphael fit une moue et baissa un peu son verre. Il le ramena ensuite à la hauteur de ses lèvres, but avec les autres et le reposa sur la table d'un geste très appuyé. "Ce n'est pas vraiment une loterie, vous savez. Le MacArthur. C'est pas juste un hasard aveugle. Ce sont des amis d'amis, leurs ex-étudiants, leurs acolytes et leurs protégés qui se retrouvent sur cette liste. Et je regrette, Ted, mais ce n'est pas non plus une question de grâce. L'univers n'en a rien à foutre. D'Erik ou de n'importe qui."

Erik dit : "Laissons tomber toute cette histoire de MacArthur, d'accord ? C'est un gros tas de fric, mais j'ai pas été obligé de vendre mon cul pour l'avoir, et donc j'ai l'intention d'en profiter. Un point c'est tout. Et, Raphael, autant que je sache, je ne suis l'acolyte ou l'ex-étudiant de personne. Tous mes profs sont morts. Et je ne suis copain avec aucun de ceux qui choisissent les lauréats.

— Autant que tu saches", dit Raphael.

Sam dit : "Rafe, mon chéri, allons ! Ces trucs dont tu parles ne comptent pas. Les gens qui distribuent le MacArthur ont tous des tas de copains et d'ex-étudiants auxquels on n'envisagerait jamais d'attribuer ce prix. Ted et Joan ont raison : l'univers, ou la force de vie, quel que soit le nom qu'ils lui donnent, a été favorable à Erik parce qu'il a su attirer son attention sur lui et son travail."

Raphael leva les yeux au ciel puis fit un sourire à son assiette tandis que Ted servait les jarrets d'agneau et les légumes sautés et que Joan remplissait de nouveau les verres à vin. Ellen suivait Erik des yeux avec méfiance comme si elle savait qu'il était sur le point de dire quelque chose qu'il regretterait plus tard. Elle leva son verre. "OK. À mon tour ! À notre amitié et à de longues soirées d'hiver ensemble !"

Avec une certaine intensité et l'air d'être soulagés, ils burent tous comme s'ils avaient soif et mangèrent tous comme s'ils avaient faim. Ils parlèrent un moment de politique locale et de celle de l'État

– ils étaient tous un peu plus à gauche que le gouverneur actuel, un démocrate – et Ted donna un long résumé de l'intrigue d'une nouvelle série télévisée diffusée sur le réseau PBS, une romance historique située au début du XXe siècle qui en était à sa quatrième semaine et qu'aucun des autres n'avait vue.

Profitant d'une pause dans la conversation, Joan se tourna soudain vers Erik et dit d'une voix tremblant d'émotion : "Tu vas rester notre ami, pas vrai, Erik ? Même si tu es riche, maintenant. Et célèbre."

Erik éclata de rire, autant à cause de l'absurdité de ce qui inquiétait Joan que de l'idée d'être riche et célèbre. "Oui, dit-il, je vous aimerai toujours, toi et Ted. Et je ne vais pas être aussi riche et célèbre que tu crois. De loin. Divise un demi-million de dollars par cinq, et tu obtiens un petit peu plus que ce que je gagne par an à Skidmore.

— C'est ce que tu dis maintenant, reprit Joan. Mais aucun d'entre nous ne sera jamais un MacArthur. Aucun d'entre nous ne sera jamais un génie certifié." Elle semblait effrayée et un peu confuse, comme si elle venait de recevoir un coup de téléphone menaçant. "Nous ne sommes plus tes égaux, Erik. Peut-être ne l'avons-nous jamais été. Aucun d'entre nous ne sera jamais riche et célèbre à cause de son travail, de son magnétisme personnel et tout ça. On ne donnera jamais de MacArthur à quelqu'un qui fait du toucher thérapeutique, n'est-ce pas ? Ni à quelqu'un qui dirige un journal dans une petite ville. Ni à quelqu'un qui fait du tissage. Ou de la photo. Est-ce qu'on a jamais attribué un MacArthur à un photographe ? Sam, tu devrais le savoir.

— En fait, répondit Sam, il y a un nombre assez important de photographes qui ont reçu des MacArthur.

Il y a eu Uta Barth et An-My Lê, l'année dernière ou l'année d'avant. Des photographes conceptuels – pas ma tasse de thé. Et, bien sûr, Lee Friedlander et Cindy Sherman auparavant. Pas ma tasse de thé non plus.

— Mais c'est pour de la création, pas vrai? Le MacArthur, dit Ted. Ou pour de la recherche scientifique non conventionnelle. C'est pour ça qu'on ne le donnera jamais à un directeur de journal ou à un journaliste. Nous, c'est vrai, nous avons le Pulitzer. Je peux toujours espérer un Pulitzer", dit-il en éclatant d'un grand rire pour montrer qu'il plaisantait.

Ellen dit : "Mais c'est possible pour quelqu'un qui fait du tissage. Pas vrai? Bon, je ne veux pas dire que c'est moi qui en mérite un, mais si elle fait un travail qu'on considère comme dépassant l'artisanat, si on estime que c'est de l'art, c'est possible pour une tapissière d'avoir un MacArthur. Pas vrai?"

Tout le monde resta un instant silencieux. Puis Joan dit : "Oui. Bien sûr."

Sam dit : "Absolument."

Ted ajouta : "Vachement plus que pour un journaliste ou un directeur de journal."

Erik ne dit rien du tout. Il prit son verre et en fit doucement pivoter le pied entre ses doigts, ce qui fit tourbillonner le vin.

Raphael parcourut la table du regard et dit : "OK, les gars. On a assez parlé de vos chances d'être riches et célèbres. Et les miennes, alors?

— Les tiennes? demanda Ellen.

— Oui, Ellen. Les miennes. On donne des MacArthur à des écrivains, tu sais. Et j'en suis un, tu l'avais oublié?"

Ted commença à débarrasser les assiettes, et Sam se leva pour l'aider. Erik esquissa un geste pour aider à son tour, mais il vit que les assiettes avaient déjà été enlevées et s'affala de nouveau sur sa chaise.

Raphael poursuivit : "Strictement parlant, en toute hypothèse, pourquoi pas ? Je pourrais être un « génie ». L'égal d'Erik. Même si personne, pas même mon mari, n'a encore lu mon roman", fit-il en adressant un sourire espiègle à Sam qui, debout près de la porte de la cuisine, observait son mari avec le même regard prudent qu'Ellen regardait le sien. Au bout de quelques secondes, Sam poussa un soupir, abandonna et se retira dans la cuisine.

"Mais un jour je terminerai mon roman, dit Raphael. Et alors, qui sait, il se peut que je sois publié par quelque obscure maison d'avant-garde de Brooklyn plutôt que par une grosse boîte commerciale de Manhattan, et incroyable mais vrai, dans quelques années tous les brillants petits élèves des cours d'écriture du pays pourraient se retrouver à l'imiter dans leurs ateliers."

Erik secoua la tête et s'autorisa à sourire.

"Hé, Erik, ne ris pas, ça arrive ! Ce qui obligerait les profs d'écriture à lire mon roman pour savoir sur quoi ces gosses s'extasient. Et quelques-uns de ces profs seront des jurés du prix MacArthur et, dans l'intérêt de l'impartialité, pour ne pas risquer d'agressions œdipiennes et avoir l'air branchouille à la fac, pour être en phase avec les on-dit littéraires et puis aussi pour protéger leurs propres œuvres médiocres que presque personne ne connaît, ils éviteront les romanciers manifestement plus qualifiés pour me sanctifier par l'octroi d'un MacArthur. Et alors je serai exactement comme Erik ! Alors je pourrai moi aussi déclarer sans mentir : « Autant que je sache, je n'ai pas d'amis, ni d'amis d'amis, ni d'anciens profs parmi les jurés, et je peux, par conséquent, attribuer ce prix à une chance aveugle. Un billet de loterie acheté sur un coup de tête et oublié dans une poche de veste, resté là comme des peluches. Ou, si je préfère, je pourrai l'attribuer à mon charisme et à la grâce que ledit charisme fait descendre de là-haut."

Joan dit : "Je vais chercher le dessert à la cuisine", et elle sortit de la salle à manger.

Ellen dit : "Je vais t'aider." Elle suivit Joan et laissa Erik et Raphael tout seuls, face à face, chacun d'un côté de la table. Quelqu'un dans la cuisine était en train de moudre des grains de café.

Erik prit la troisième bouteille de vin à moitié vide et remplit son verre. "Oh, putain, tu veux bien m'expliquer de quoi tu parles, là?" dit-il. Il dirigea le goulot de la bouteille vers le verre de Raphael.

Mais Raphael recouvrit son verre du plat de sa main. "Je n'en veux plus, merci. Je conduis." Il bâilla, leva sa main gauche et regarda l'heure à sa montre.

Erik dit : "Avant que tu sois obligé de filer, tu veux bien me dire de quoi tu parles?

— Ce que je dis, c'est que vous avez tort tous les deux, toi et Ted, et que vous avez tous les deux raison. C'est une question de chance, comme tu l'as dit. Mais c'est aussi la grâce qu'attire le charisme, comme le pense Ted. Ça veut dire que tu as la chance d'être assez charismatique pour avoir attiré l'attention de cette très généreuse grâce – le mot de ce soir pour signifier les yeux et les oreilles du monde qui nous entoure. Ou, en tout cas, les yeux et les oreilles de la fondation MacArthur.

— Des conneries, oui. Ça vient de mon travail.
De rien d'autre.

— Est-ce que tu es d'accord avec moi pour dire
que la valeur de n'importe quelle œuvre d'art, à
n'importe quel moment, réside dans l'œil de celui
qui la contemple ?

— D'accord.

— Et nous parlons ici de la manière dont on
peut influencer cet œil pour donner à l'œuvre un
sens important. Tes salles de bains gigantesques,
par exemple, et ces cuisines démesurées, on pourrait les voir comme n'ayant aucun sens. Ou comme
des clichés déjà dépassés. On pourrait les considérer
comme du toc. Mais manifestement ce n'est pas le
cas. En tout cas, ça ne l'est plus.

— Merci bien.

— Ne me remercie pas. Quand tes installations
sont perçues par la fondation MacArthur comme
des œuvres géniales, on ne peut plus les percevoir
comme dépourvues de sens ou dépassées. Et grâce
à l'argent et au prestige que confère ce prix, elles ne
peuvent pas non plus être perçues comme dépourvues de sens ou dépassées par le *New York Times* ni
par le reste des médias, et donc non plus par le pays
ou par le monde en général. Tu as vu des réputations
changer en un clin d'œil, Erik. Maintenant, c'est ton
tour. Dix ou douze de ces soi-disant « subventions
au génie » par an, à raison d'un demi-million de dollars chacune, ça vous attire l'attention du public. Ça
change ce qu'il pense. Tout d'un coup, ce soir dans
cette pièce comme on vient juste de le voir – et dans
quelques jours ce sera dans le monde entier –, tes
gigantesques installations de salles de bains et d'appareils de cuisine ont pris énormément de sens. Tu

as pris énormément de sens. Félicitations, Erik. Tu vas bientôt être interviewé par le *New York Times,* NPR, PBS NewsHour, sans oublier « Monsieur et madame Amérique et tous les bateaux en mer* ». Le *New Yorker* prépare sans doute déjà un portrait sous la plume de – comment est-ce qu'il s'appelle? – Peter Schjeldahl, le critique d'art qui jusqu'ici n'a jamais une seule fois parlé de ton travail dans cet auguste magazine."

Le visage d'Erik s'était contracté comme un poing. "Avec qui est-ce que tu es aussi méprisant? La fondation MacArthur, ou moi?

— Je suis méprisant avec personne. Je parle juste pour parler, comme disent les jeunes."

Ils restèrent tous deux silencieux un instant, et graduellement l'expression d'Erik se détendit, donnant l'impression qu'il avait commencé à accepter le point de vue de Raphael. "Qu'est-ce qui se passe, Raphael? Comment se fait-il que ce soir je sois devenu une cible? Avant ce soir, tu n'aurais pas osé me parler comme ça. Tu l'aurais peut-être pensé, mais tu ne me l'aurais pas dit en face.

— Oui, c'est paradoxal, n'est-ce pas? Tu remportes un MacArthur et alors que les autres s'en trouvent intimidés et menacés, diminués – même Ellen –, moi ça me donne assez de pêche pour t'attaquer. Bon, je t'attaque pas. Je te parle en face. C'est comme si à mes yeux le MacArthur, en te rendant riche et célèbre, pour reprendre l'expression de Joan, t'avait

---

* Phrase célèbre par laquelle le journaliste Walter Winchell, dans les années 1950, commençait ses émissions radiophoniques traditionnellement dévolues à des ragots sur les personnalités les plus en vue.

curieusement affaibli. Mais peut-être, du coup, puisqu'il n'est plus nécessaire de te protéger de la vérité, il a fait de toi une cible, Erik."

Erik recula sa chaise et se leva. Il vit Ellen émerger de la cuisine. Elle s'arrêta à l'autre bout de la table et le dévisagea. Un par un, les autres, Ted, Joan et Sam, suivirent et se regroupèrent à côté d'elle et derrière elle à la manière d'un chœur, et tous observèrent Erik comme s'il était seul sur une scène par ailleurs obscure, sous le feu d'un projecteur. Raphael, assis au bord extérieur du cercle de lumière, n'avait pas bougé, sinon pour croiser nonchalamment ses bras sur sa poitrine. Il se tourna à l'opposé des autres tout en s'écartant délibérément d'Erik ; on aurait dit qu'il voulait leur montrer que, bien que capable de soutenir le regard décontenancé, irrité et blessé d'Erik s'il le voulait, il avait simplement préféré regarder ailleurs comme s'il accordait à Erik un moment de solitude pour lui permettre d'évaluer les dégâts qu'il venait de subir.

Erik lança à Raphael : "Bordel, regarde-moi !"

Lentement, Raphael se tourna sur sa chaise et, sans expression particulière, comme s'il décidait si, oui ou non, il allait prendre un appel téléphonique, il leva les yeux vers Erik.

Erik se détourna. Il dit à Ellen : "Partons. On s'en va.

— Tout de suite ?

— Tout de suite !"

Joan dit : "Il neige. Vous préféreriez pas rester pour la nuit et rentrer demain matin ? La chambre d'amis est toute prête."

Erik répondit : "Il faut qu'on fasse sortir les chiennes.

— Elles sont déjà dehors, Erik. Ce sont des huskies, dit Ellen. Elles adorent la neige."

Erik lui jeta un regard furieux.

"Vous allez rater le dessert, ma tarte à la rhubarbe avec de la glace, dit Joan.

— Alors, c'est qu'il nous faut rentrer les chiennes, dit Erik. Les rentrer, les sortir, ça change rien, merde. On s'en va, dit-il.

— C'est toi, qui veux partir", dit Ellen en se rasseyant à côté de Raphael. Les autres étaient toujours debout en groupe au bout de la table.

Ted dit à Erik : "Allez, *man,* prends un autre verre de vin et détends-toi. Ce soir, c'est géant, *man.* Un cognac, peut-être ?

— Laisse-le tranquille, dit Joan à son mari. Il est contrarié."

Sam dit : "Rafe, chéri, qu'est-ce que tu as fait pour contrarier Erik ? Est-ce qu'on a besoin de faire un temps mort ?" demanda-t-il avant d'éclater d'un rire nerveux.

Raphael se tourna vers Sam et dit : "Erik bouillait de rage, il était déjà dans tous ses états quand il est arrivé. C'est pas moi qui l'ai contrarié. Erik veut que son MacArthur prouve que c'est un génie, mais il a peur qu'on le lui ait donné par erreur. C'est tout."

Erik dit : "Ellen, je rentre à la maison. Tu peux venir avec moi ou pas, à toi de choisir." Puis il sortit à grands pas de la salle à manger.

Ellen dit aux autres : "Je suppose que c'est sa fête et qu'il a le droit de la bousiller si ça lui chante." Elle recula sa chaise et se leva. À Raphael, elle déclara : "Tu n'as pas tort à son sujet. Mais t'avais pas besoin de lui mettre le nez dedans." Elle baissa la tête et quitta la pièce.

Lorsque, suivie de près par Ted, Joan et Sam, elle arriva devant le placard à manteaux de l'entrée, Erik avait déjà enfilé son blouson en agneau. Sam posa une main sur l'épaule d'Erik et dit à voix basse : "Ne laisse pas Rafe te gâter quoi que ce soit, Erik. Vraiment, ce n'est pas contre toi. C'est juste... Je sais pas, c'est peut-être son roman. Il bosse tellement dur dessus. Mais rien ne le satisfait jamais. C'est un perfectionniste. Alors il déchire tout et recommence. La frustration le fait paraître intolérant, parfois. Ou amer."

Ted dit : "Pour la plupart d'entre nous, la vie est trop courte pour qu'on soit perfectionniste. Et elle est trop agréable pour qu'on soit amer. Tu crois pas, Erik ?"

Erik jeta un coup d'œil en direction de la salle à manger et ne répondit rien.

Ted dit : "Hé, *man*, écoute. Conduis prudemment. Et fais gaffe aux flics. On a tous vidé quelques godets, ce soir, ne l'oublie pas. Et encore une fois, félicitations, *man*. On est vraiment heureux pour toi."

Erik hocha la tête, ouvrit la porte et sortit sous les rafales de neige.

Ellen donna une rapide accolade à Joan et laissa Ted et Sam l'embrasser sur la joue. Puis Raphael apparut, se pencha et lui donna aussi un baiser sur la joue.

Debout un instant devant la porte ouverte, elle regarda Erik avancer lourdement sur le sentier, ses traces formant une piste malaisée dans la neige. Ses regards semblèrent s'attarder davantage sur les traces que sur l'homme qui les produisait, comme si elle cherchait à savoir par où il était passé plutôt que là où il allait. Au-delà de la zone éclairée par la véranda, les empreintes d'Erik diminuaient et disparaissaient dans l'obscurité. On entendit la portière de la voiture s'ouvrir puis se refermer avec un bruit sourd.

"Je me demande si je ne devrais pas prendre le volant, dit Ellen.

— J'ai l'impression que si, ma chère, dit Sam.

— Je suis désolée de partir si tôt, dit Ellen. Mais c'est pour le mieux.

— Pas de problème, dit Ted. On aime Erik comme il est.

— Après tout, c'est notre Erik, dit Joan.

— Et Rafe est notre Rafe. Aucun des deux ne va changer", dit Sam en passant un bras amoureux autour de son mari. Il cria dans les ténèbres tourbillonnantes : "Bonne nuit, Erik!"

Ted dit à son tour : "Hé, bonne nuit, *man*!"

Raphael dit : "Félicitations, Erik!"

Joan dit : "Oui. Bonne nuit, Erik. Au revoir, Ellen!"

Ellen descendit jusqu'à l'allée et vit qu'Erik était au volant et qu'il avait mis le moteur en marche. Les phares découpaient de pâles cônes dans la neige qui tombait. Elle resta quelques secondes sans bouger. Puis elle se retourna lentement, remonta les marches et rentra dans la maison par la porte ouverte. Les autres la suivirent, et Raphael, le dernier à entrer, referma la porte sur l'averse de neige et sur la nuit.

BLUE

Ventana descend du bus 33 à l'arrêt de la
103ᵉ Rue et de la Septième Avenue nord-ouest, à
Miami Shores. Il est presque six heures du soir et, en
cette saison, la ville reste chaude et poisseuse jusqu'à
ce que le soleil se couche enfin à huit heures. Elle
remonte rapidement à pied une partie de l'avenue,
rendue nerveuse par la somme élevée qu'elle porte
sur elle, trente-cinq billets de cent dollars. Elle ne
veut pas payer par chèque et devoir attendre qu'il
soit encaissé pour ramener la voiture chez elle – il
n'y a aucune chance qu'un marchand de véhicules
d'occasion qui ne la connaît pas personnellement
accepte un chèque d'une Noire et lui laisse emporter la marchandise avant que le chèque soit validé
par la banque. Or, elle veut la voiture tout de suite,
aujourd'hui même, s'en servir dès demain pour se
rendre à son travail à Aventura et, pour la première
fois, se garer dans le parking des employés. Ensuite,
dimanche, après l'église, elle conduira sa bagnole à
elle perso, oui, *sa bagnole à elle perso*, à la plage de
Virginia Key avec Gloria et les petits-enfants.

Comme la coopérative de crédit fermait à quatre
heures, c'est pendant la pause déjeuner qu'elle a
retiré l'argent de son compte – cent dollars par mois

mis secrètement de côté pendant presque trois ans. Ensuite, dans les toilettes pour femmes du magasin American Eagle, elle a caché le paquet de trente-cinq coupures dans son soutien-gorge. Elle avait mis un chemisier en rayonne à col montant alors même qu'elle savait que la journée allait être d'une chaleur infernale et que la clim dans les bus serait probablement insuffisante ou en panne. À sept heures du matin, elle prend le 33 qui part de son pâté de maisons à Miami Shores, puis, arrivée à North Miami, le 3 qui la mène tout là-bas au centre commercial Aventura. En fin d'après-midi, elle fait le même trajet en sens inverse. Mais peu importe que ce soit tôt ou tard dans la journée, que la clim fonctionne ou pas, elle transpire abondamment rien que d'aller à pied depuis l'arrêt du bus à travers le grand parking jusqu'à l'entrée du centre et puis d'effectuer le même parcours au retour. Et cette journée-ci a été chaude du début à la fin : Ventana a transpiré davantage que si elle avait mis un chemisier sans manches ou un tee-shirt, mais elle a passé l'après-midi sans que personne, chez American Eagle Outfitters, ne remarque le paquet de billets qu'elle portait sur elle, et elle est soulagée maintenant qu'elle remonte la Septième Avenue nord-ouest et qu'elle arrive enfin au portail de Sunshine Cars USA avec la somme intacte dans son soutien-gorge.

Elle a quarante-sept ans, et il y a vingt-cinq ans qu'elle possède un permis de conduire réglementaire de l'État de Floride, mais cette voiture sera la première dont elle sera propriétaire. Gordon, son ex-mari, achetait en leasing une Buick neuve tous les trois ans, et il la laissait conduire en s'installant lui-même sur la banquette arrière comme si elle était son chauffeur. Gordon Junior, son fils, avait acheté une Camaro neuve quand il était entré dans la marine, grâce à la prime qu'il avait touchée pour s'engager. Il garait la Camaro dans l'allée de Ventana et l'avait autorisée à la conduire pendant qu'il était en mer jusqu'au moment où, ne pouvant plus payer l'assurance, il avait dû la vendre. Et pendant quelques années, Gloria, sa fille, avait possédé un vieux tacot, une fourgonnette que Ventana pouvait emprunter de temps à autre pour aider des amis à déménager ou emménager, mais ce véhicule avait été saisi par la société de crédit. Pendant toutes ces années, Ventana n'avait pas eu de voiture à elle. Jusqu'à aujourd'hui.

Bon, elle n'en est pas vraiment propriétaire ; elle n'a même pas encore choisi son modèle. La plupart des voitures proposées par Sunshine Cars USA sont au-dessus de sa gamme de prix, mais elle sait, pour avoir lu les annonces dans le *Miami Herald*, que Sunshine Cars USA propose néanmoins, pour trois mille cinq cents dollars et moins, des douzaines de véhicules d'occasion, des premières mains qui ont peu roulé, qui datent de moins de dix ans, qui sont élégantes et qui brillent : Ford Taurus, Dodge Avenger, Cadillac DeVille, Suzuki Grand Vitara, Chevrolet Malibu, Ford Fusion, Chevrolet Cobalt et Monte Carlo. Presque tous les jours depuis trois ans, elle s'arrête en allant prendre le bus le matin et en rentrant à la fin de la journée. À travers la clôture – grille de deux mètres cinquante de haut hérissée de pointes – qui entoure le parc d'exposition, elle scrute les rangées de véhicules à vendre. Elle n'est presque jamais passée devant sans se dire : Ce break Chevrolet me semble aller pour une femme comme moi ; ou : Cette Crown Vic noire, c'est plutôt le genre de Gordon, mais je peux vivre avec ; ou : Ces gros 4×4 sont affreux, mais on y est en sécurité en cas d'accident. Au cours des trois dernières années, elle a choisi des centaines de voitures d'occasion et les a achetées les unes après les autres en demandant qu'on les lui mette de côté – et jusqu'à ce que la voiture soit effectivement vendue à quelqu'un d'autre et disparaisse du parc, dans l'esprit de Ventana elle était toujours à elle. C'était un tour qu'elle se jouait à elle-même. C'est ainsi qu'elle a réussi à accumuler les trois mille cinq cents dollars – en faisant semblant chaque mois de ne pas économiser, car c'est dur, d'économiser, quand on est toujours à court d'argent vers la fin du mois. Non, se disait-elle, elle n'économisait pas pour acheter une voiture, elle s'acquittait d'une mensualité de cent dollars pour le véhicule mis de côté, voilà, et si elle n'effectuait pas le paiement à temps, elle se disait que le marchand allait vendre sa voiture à un client venu cash en main, et tout ce qu'elle avait déjà versé pour cet achat allait disparaître, gaspillé. Donc elle portait sa mensualité à la coopérative de crédit et la déposait à temps. Aujourd'hui, enfin, Ventana va être la cliente qui arrive cash en main.

Le salon d'exposition de Sunshine Cars USA est une espèce de blockhaus en béton couleur pêche, sans fenêtre sur trois côtés, avec une vaste vitrine face à la rue. L'extérieur des murs et la vitrine sont décorés de pancartes qui proclament : *Nous examinons tous types de crédit !* et qui promettent : *$ 1 000 de dépôt – Vous êtes au volant !* La clôture hérissée de pointes se trouve derrière le salon ; elle va d'un coin du bâtiment jusqu'à l'autre en délimitant une sorte de corral qui contient cent voitures, voire davantage, et qui occupe la moitié du pâté de maisons entre la 97e Rue et la 98e. Tous les trois mètres, un drapeau américain aussi grand qu'un drap de lit pendouille en attendant la brise qui viendra du large en début de soirée.

Ventana s'arrête devant la grande baie vitrée et jette un coup d'œil au salon d'exposition faiblement éclairé. Un très gros Noir portant une chemise guayabera blanche à manches courtes est assis derrière un bureau, en train de lire un journal. Un Blanc au visage rouge et à la tête rasée, en tee-shirt noir et jean moulant, parle dans son téléphone portable. Des tatouages multicolores grouillent le long de ses bras roses. Ventana a vu ces hommes bien des fois traîner dans le salon d'exposition et parfois se promener dans le parc à voitures en compagnie d'acheteurs potentiels, et bien qu'elle n'ait jamais parlé avec aucun des deux, elle a l'impression de les connaître personnellement.

Le Noir lui plaît. Elle le croit plus honnête que le Blanc qui est sans doute le patron, et elle décide que c'est au Noir qu'elle achètera sa voiture, à lui qu'elle fera gagner la prime, lorsque soudain elle aperçoit une femme debout à côté d'elle sur le trottoir. C'est une jeune Hispanique au teint fauve qui a la moitié de la taille et de l'âge de Ventana. Elle a les lèvres gonflées par les injections que des Blanches et des Latinas trop maigres s'infligent en croyant que ça les rendra sexy alors qu'on dirait que leur vilain copain leur a collé un pain sur la bouche.

La fille fait un grand sourire comme si elle connaissait Ventana depuis l'époque où elles étaient à l'école ensemble, bien que Ventana ne l'ait jamais vue auparavant. Elle dit : "B'jour, m'dame. Vous avez envie de repartir avec une nouvelle voiture toute belle, aujourd'hui ? Ou vous faites juste du lèche-vitrine ? Je vous vois passer devant chez nous presque tous les jours, vous savez. Il serait temps que vous sortiez une de ces voitures pour l'essayer, vous croyez pas ?

— Vous me voyez passer ?

— Mais oui. Depuis que je travaille ici, je vous vois. C'est le moment d'arrêter de regarder, ma fille, c'est le moment de vous mettre au volant de votre voiture neuve.

— Pas une neuve. Une occasion. Une voiture de deuxième main.

— OK ! C'est justement ce qu'on a, à Sunshine Cars USA, des occasions garanties ! Certifiées et garanties. Pas neuves, d'accord, mais *comme* neuves ! Vous aviez quoi dans l'idée, m'dame ? Au fait, moi, c'est Tatiana." La fille lui tend la main.

Ventana la lui serre doucement – elle est petite et froide. "Moi, c'est Ventana. Ventana Robertson. J'habite juste à deux pâtés de maisons de l'avenue, dans la 95e Rue, c'est pour ça que vous m'avez déjà vue ici. À cause de l'arrêt de bus de la 103e." Elle ne veut pas que la fille croie qu'elle a déjà décidé d'acheter une voiture aujourd'hui et qu'elle porte l'argent sur elle. Elle ne veut pas avoir l'air de celle à qui l'on peut vendre quelque chose facilement. Et elle espère que le gros Noir va sortir.

"OK, Ventana ! Super ! Vous êtes propriétaire, dans la 95e, ou locataire ?

— Propriétaire.

— OK. C'est super. Mariée ? Vous vivez seule ?

— Divorcée. Seule.

— OK, c'est parfait, Ventana. Et je sais que vous avez un travail stable où vous allez tous les matins et d'où vous rentrez tous les soirs, parce que je vous vois aller et venir, et ça, c'est très bien, un boulot stable. Alors, quel est votre gamme de prix, Ventana ? Dans quoi est-ce que je vais vous caser aujourd'hui ?

— Je pensais à quelque chose qui ne dépasserait pas trois mille cinq cents dollars. Mais je vais regarder toute seule un petit moment, merci. Les prix sont indiqués sur les voitures ?

— Bien sûr qu'ils le sont ! Allez-y et donnez quelques coups de pied dans les pneus, Ventana. Jetez un coup d'œil au bout du parc, dans les deux dernières rangées. On a un tas de véhicules formidables, là-bas, dans les prix qui vous conviennent. Vous comptez demander une reprise ?

— Une reprise ?

— Une voiture qu'on vous rachèterait en déduction de la nouvelle ?

— Non.

— OK, c'est bien, ça aussi. On ferme à six heures, Ventana, mais je suis à l'intérieur si vous avez des questions ou si vous décidez d'essayer une de nos excellentes voitures. Il fait encore trop chaud dehors, pour moi. N'oubliez pas : on peut envisager tous types de crédit. Il y a plein de formules proposées par notre propre société de financement. Vous avez un permis de conduire de Floride, je suppose ?"

Ventana fait oui de la tête et entre calmement dans le parc par la barrière ouverte comme si elle avait déjà acheté et payé sa voiture, et pourtant elle a les jambes en coton et elle est presque certaine de trembler, mais elle ne veut pas regarder ses mains pour vérifier. Elle sait qu'elle a peur, mais elle ne saurait dire de quoi.

Tatiana la regarde quelques instants en se demandant si elle ne ferait pas mieux de la suivre, tant pis pour la chaleur, puis elle se dit que cette femme n'est pas encore vraiment décidée. Elle rentre nonchalamment dans le salon d'exposition et déclare que la visiteuse va encore donner des coups de pied dans les pneus pendant un bon bout de temps, qu'elle est encore à un mois ou plus de signer le contrat où elle vendra son premier-né, ce qui fait glousser le Noir et grogner le Blanc.

Le Noir regarde sa montre. "Ouais, eh bien elle a juste une demi-heure avant qu'on se tire."

Tatiana dit : "Elle reviendra demain. De bonne heure, je parie. La nana a choisi l'endroit où elle allait acheter sa voiture, maintenant il lui reste juste à trouver quoi acheter.

— Elle veut y mettre combien ? demande le Noir.

— Elle parle de trois mille cinq cents. Je la ferai démarrer à cinq mille et j'irai en montant.

— C'est trop bas. Fais-la démarrer avec la DeVille 2002. La bronze. On l'affiche à neuf. Dis-lui qu'elle peut l'emmener chez elle pour six. Cinq mille neuf cent quatre-vingt-dix-neuf. Les nanas comme elle, elles sont trop vieilles pour des Grand-Am mais encore assez chaudes pour vouloir une Cadillac. Elle les a, les trois mille cinq ?

— Probable.

— Elle va avoir besoin d'un crédit. Laisse tomber cette con de Cadillac. Vise plus haut.

— Sûr et certain.

— Fais-la monter dans la BM bleue", dit le Blanc.

VENTANA AVANCE vers les voitures situées tout au fond du parc, comme elle y a été invitée. Elle dépasse d'un pas vif les modèles presque neufs en prenant soin de ne pas les regarder car elle sait qu'elle ne peut pas les acheter. Elle ne veut pas que sa voiture, quand elle l'aura trouvée, paraisse miteuse et vieille en comparaison, qu'elle ait moins l'air d'une occasion que d'un véhicule fatigué. Usagé.

Quand elle arrive au fond du parking et passe le long des véhicules censés être dans sa gamme de prix, elle trouve que la plupart ont en effet l'air usagés. Rouillés, éraflés, cabossés, ils semblent prêts pour la casse, à peine différents de ces caisses posées sur des parpaings ou en train de s'enfoncer dans les mauvaises herbes devant certaines maisons de son quartier – bagnoles dont les problèmes mécaniques insolubles attendent le remède miracle d'un paquet d'argent liquide venu d'un billet de loterie gagnant, chose qui ne se produira jamais, tandis que la bagnole, elle, finira vendue à la ferraille.

Il y a une Honda Civic Fastback 2002 qui lui paraît bien au premier abord, pas de creux, de bosses ni de rouille. Les portières sont verrouillées, mais en plissant les yeux à cause de la lumière éblouissante elle arrive à regarder à travers la vitre côté conducteur et à déchiffrer le numéro sur le compteur kilométrique – 448137. Au bout du rouleau, c'est certain. L'affiche derrière le pare-brise annonce : *Prix de vente $ 4 950, Offre Spéciale $ 2 950*.

Il y a une Mercury Grand Marquis 1999 avec une calandre où manque la moitié des barrettes, des pneus lisses, la garniture déchirée, le couvercle de coffre enfoncé au niveau de la serrure, de sorte qu'elle sera obligée de fermer le coffre avec un fil de fer pour l'empêcher de bâiller quand elle ira à son travail. Une affiche scotchée à la vitre côté conducteur annonce : *Prix de vente $ 5 950, Offre Spéciale $ 2 950.*

Peut-être devrait-elle monter d'un cran dans les prix, se dit-elle. Après tout, même s'ils appellent ça une "offre spéciale", c'est en fait juste le prix demandé, un chiffre à partir duquel on peut commencer à négocier. C'est alors qu'elle aperçoit une Dodge Neon 2002 dont la grosse pancarte jaune sur le pare-brise proclame gaiement : *Faible Kilométrage !!!* Le prix de vente est de $ 6 950, et le prix demandé, 3 900. Si elle en propose 3 000, ils pourraient se contenter de 3 500.

Très bien, voilà une voiture à essayer sur route. Mais au lieu de n'en essayer qu'une, elle va tenter d'en trouver deux de plus, pour en comparer trois. En un rien de temps, elle ajoute une Hyundai 2002 qui a 141 066 kilomètres, de bons pneus et une carrosserie en bon état sans bosselures ni points de rouille, puis une Ford Taurus 2002 gris métallisé qu'elle préfère réellement à la Hyundai et à la Neon. C'est une grande berline à quatre portes avec un intérieur en tissu marron clair, et cette voiture aussi arbore une pancarte *Faible Kilométrage !!!* où se trouve le nombre réel de kilomètres : 89 378. Une auto lourdingue et ennuyeuse, le genre de quatre-portes dans laquelle on verrait bien une assistante sociale ou un prof de maths, pas du tout racée, limite glamour, comme la Neon ou la Hyundai. Elle va consommer davantage que les deux autres, c'est sûr. Mais le côté respectable et conventionnel de la Taurus convient à Ventana. Et contrairement à la Neon et à la Hyundai, peut-être à cause de sa taille, elle ne lui donne pas le sentiment d'être *usagée* ; juste une *occasion*. Bien entretenue. Par quelqu'un comme elle.

Elle fait de nouveau lentement le tour de la voiture en cherchant des éraflures ou des bosses qu'elle aurait pu ne pas voir la première fois, mais elle n'en relève aucune. Quand elle s'éloigne de la Taurus – elle a l'intention d'aller jeter un dernier coup d'œil à la Neon et à la Hyundai avant de revenir au salon d'exposition –, elle entend derrière elle le grognement sourd, comme un râle, d'une grosse bête, et quand elle se retourne elle voit un chien gris foncer vers elle à toute allure. Un pitbull massif qui court ventre à terre, déjà à cinq ou six voitures d'elle, et il arrive vite, les yeux jaunes de rage, montrant les dents et grognant, mais sans aboyer. Ce n'est pas un chien qui chercherait juste à l'effrayer et la faire partir ; c'est un chien d'attaque, pas un chien de garde, et il veut se jeter sur elle, l'attaquer et la tuer.

Ventana n'aime déjà pas les chiens, mais celui-ci la terrifie. Elle se précipite vers l'avant de la Taurus et grimpe sur le capot, puis, à quatre pattes, parvient sur le toit. Le chien s'arrête en dérapant et se met à tourner autour du véhicule comme s'il cherchait une rampe ou un escalier. N'en trouvant pas, il essaye d'escalader le capot de la Taurus comme Ventana, mais il retombe, ce qui ne fait qu'accroître sa fureur et sa détermination d'atteindre la femme perchée là-haut, terrifiée et désorientée, qui s'efforce désespérément de ne pas paniquer, de ne pas glisser de la voiture et tomber par terre. "Au secours ! crie-t-elle. Au secours quelqu'un ! Quelqu'un ! Venez éloigner ce chien !"

Elle se rappelle qu'on ne doit pas montrer de peur face à un chien, que ça ne fera que l'exciter davantage, et donc, avec des mouvements mal assurés, elle se redresse prudemment et croise les bras sur sa poitrine en essayant de ne pas avoir l'air de craindre la bête qui tourne autour de la voiture. Elle aimerait bien avoir un revolver dans son sac à main. On a le droit de porter une arme à feu dissimulée, dans l'État de Floride, mais elle a toujours dit qu'il n'était pas question pour elle de posséder un pistolet et de se promener avec – un agresseur ne ferait que le retourner contre elle, ou bien il l'utiliserait plus tard pour commettre un autre crime dans lequel quelqu'un se ferait tuer. Mais maintenant, fini ce blabla de gauche. Maintenant, elle souhaiterait vraiment avoir un pistolet pour abattre ce chien.

Elle se trouve très loin du portail par lequel elle est entrée, mais les voitures sont garées côte à côte jusqu'au portail, toutes très près les unes des autres, de sorte qu'en sautant de toit en toit elle serait peut-être en mesure d'arriver à un endroit où la Latina ou le Noir pourraient entendre ses cris et rappeler leur horrible bête. Dieu merci, elle est chaussée de tennis et possède un bon équilibre pour une femme de son âge. Et comme il n'a pas plu de toute la journée et qu'aucune des voitures ne semble avoir été lavée récemment, les toits en métal ne sont pas glissants. Elle met son sac en bandoulière, tente de calmer son cœur qui bat à tout rompre, compte jusqu'à dix et saute du toit de la Taurus sur celui de la Mercury Grand Marquis juste à côté.

Le chien la voit atterrir sans problème sur la Mercury, happe l'air en claquant des dents vers elle, puis, renonçant à ses tentatives d'escalade de la Taurus, se précipite à l'avant de la Grand Marquis où il bondit en griffant et en égratignant le capot. Mais une fois de plus, dans son excitation, il ne réussit pas à s'agripper et retombe. Ventana décide de continuer à se déplacer aussi vite qu'elle le peut, avant de trop réfléchir à ce qui lui arrivera si elle glisse et tombe ou si le chien parvient à monter sur le capot d'une voiture puis sur le toit, ce qui lui permettra de bondir à son tour d'un véhicule à l'autre, de la suivre et certainement de la rattraper, de lui déchirer la chair et de l'entraîner à terre où il la tuera.

De la Mercury, elle saute sur une Jeep Cherokee 1999 blanche au toit surélevé ; de là, sur un Ford Expedition 1997, le véhicule le plus haut et le plus large de tout le parc – le toit le plus sûr pour elle, le chien ne pourrait jamais l'atteindre là-haut. Sans doute devrait-elle rester là, mais elle décide de continuer, d'aller jusqu'à la clôture et jusqu'au portail et, de là, se débrouiller pour attirer l'attention d'un employé de chez Sunshine Cars USA ou d'un passant dans la rue qui entrera dans le salon et alertera quelqu'un pour qu'il sorte et rappelle la bête.

Elle abandonne la sécurité du gros Ford Expedition et saute sur le toit légèrement plus bas d'une Mazda 626LX – un modèle 2002 bleu foncé d'allure assez sportive –, puis sur celui d'une Kia Sportage 2005 rouge. Tout en grognant et bavant, le chien la suit au sol sans la quitter des yeux une seconde. Elle n'a aucun moyen de lui échapper autrement qu'en restant sur les voitures pour se rapprocher peu à peu de la haute clôture par les toits de véhicules de plus en plus chers et chics – maintenant il s'agit de véritables bonnes occasions et pas de caisses hors d'usage, il s'agit de Mercedes, de Cadillac et de Lincoln également plus récentes, datant de 2010, 2011, 2012, dont le kilométrage plus bas est signalé sur des affichettes derrière les vitres : 35 288, 30 476, 28 872. À mesure que le kilométrage baisse, le prix monte : *Prix de vente $ 15 999 – Offre Spéciale $ 12 999 ; Prix de vente $ 18 950 – Offre Spéciale $ 15 950.*

Ventana finit par arriver à la dernière rangée, juste avant la clôture, et depuis le toit d'un Ford Escape 2012 gris métallisé, elle aperçoit le portail juste devant elle à une distance de trois véhicules, fermé par une chaîne et un cadenas. Elle regarde sa montre ; il est six heures vingt, et elle se souvient que la Latina lui a dit qu'ils fermaient à six heures. Elle est coincée ici, en cage, en prison à cause d'un chien aussi féroce que laid qui n'a rien d'autre dans sa cervelle qu'un besoin urgent de la tuer pour l'unique raison qu'elle est entrée par accident sur son territoire.

Il lui vient à l'idée de téléphoner à Sunshine Cars USA avec son portable. Elle expliquera sa situation à la personne qui répondra et la fera venir au salon pour déverrouiller le cadenas, ôter la chaîne et ouvrir la barrière, mettre le chien en laisse et le mener à l'endroit où il a sa cage de sorte que Ventana puisse sortir de la sienne. De son perchoir sur le monospace Ford, elle déchiffre le site web www.sunshinecarsusa. com et le numéro de téléphone peint sur le grand panneau qui scintille au-dessus du salon d'exposition en parpaings. Elle compose le numéro et, au bout d'une demi-douzaine de sonneries, elle entend l'accent légèrement étranger de la jeune fille hispanique. "Merci d'avoir appelé Sunshine Cars USA. Nous sommes ouverts de neuf heures à dix-huit heures. Merci de rappeler pendant les heures d'ouverture. Ou bien, après le signal, vous pouvez laisser un message avec votre numéro, et nous vous rappellerons dès que possible. Bonne journée!"

Ventana entend le signal et dit au téléphone : "Vous m'avez enfermée ici par accident avec les voitures, et maintenant votre chien me coince ici, je peux pas sortir parce que le portail est fermé à clé. S'il vous plaît, j'ai besoin que quelqu'un vienne ouvrir le portail et fasse partir ce chien. S'il vous plaît, venez tout de suite! J'ai très peur du chien. Au revoir", dit-elle en cliquant pour terminer l'appel.

Dans moins de deux heures, il fera noir. Peut-être à ce moment-là le chien en aura eu assez et sera parti ailleurs ou se sera endormi quelque part, ce qui permettra à Ventana d'escalader la grille et de se libérer. Elle examine la clôture. Elle mesure presque un mètre de plus qu'elle. Les barreaux pointus sont trop rapprochés pour qu'elle se glisse entre eux. Il lui faudra grimper par-dessus, ce qu'elle n'est pas sûre de pouvoir faire, même si elle a suffisamment de temps. Elle devra d'abord descendre du Ford Escape et traverser en courant le couloir de deux mètres ou deux mètres cinquante qui sépare l'Escape de la clôture, puis, en l'espace de quelques secondes, se débrouiller pour se hisser assez haut pour passer au-dessus des barreaux. Ça lui paraît impossible. Elle ne voit pas le moyen de le faire sans que le chien ne l'entende et revienne ventre à terre de sa niche ou de l'endroit où ce monstre se tapit quand il ne terrorise pas des êtres humains.

Elle décide de téléphoner aux urgences en faisant le 911, puis elle se ravise. Le véhicule de sauvetage envoyé par les pompiers sera forcément accompagné par des policiers. Et tout se complique toujours quand on y mêle la police. Ils vont vouloir savoir ce qu'elle faisait dans un parc à voitures fermé. Peut-être s'y est-elle cachée, y restant après la fermeture pour ouvrir des portières et des coffres, voler des pièces, des enjoliveurs, des postes de radio et des lecteurs de CD qu'elle jetterait par-dessus la grille à un complice dans la rue. Elle ne s'attendait pas à ce qu'un chien d'attaque vienne brouiller son plan, n'est-ce pas? Peut-être s'est-elle tapie là après l'heure de fermeture parce qu'elle avait l'intention de forcer la porte de derrière du salon d'exposition pour voler les ordinateurs, les machines de bureau et l'argent liquide qu'on y garde. Avant que les policiers n'éloignent le chien et la libèrent de sa cage, il faudra qu'elle prouve son innocence. Chose qui n'est jamais facile pour une personne noire dans cette ville. Jamais facile nulle part. Elle décide de ne pas composer le 911.

Reste sa fille, Gloria, et un petit nombre d'autres personnes qu'elle connaît et en qui elle a confiance – son pasteur, quelques-uns de ses voisins, même Gordon, son ex-mari, qu'elle trouve fiable jusqu'à un certain point. Son fils, Gordon Junior, qui saurait agir avec plus de compétence que n'importe quel autre de ses proches, est actuellement basé à Norfolk, en Virginie. Il ne peut pas grand-chose pour elle. Gordon Senior va sans doute se moquer d'elle pour s'être fourrée dans cette situation, et Gloria va tout simplement paniquer, chercher une excuse pour ne rien faire et se remettre à boire. Ventana a trop honte pour téléphoner au révérend Knight ou à l'une de ses amies de la paroisse ou du quartier, et elle n'appellerait jamais une collègue de travail. Pourtant, si elle ne parvient pas à se libérer avant neuf heures demain matin et la réouverture de Sunshine

Cars USA, elle aura plusieurs heures de retard et sera quand même obligée de téléphoner à American Eagle Outfitters pour s'expliquer.

Elle songe à se cacher toute la nuit à l'intérieur d'une voiture, à dormir sur la banquette arrière, mais ces véhicules sont sûrement tous verrouillés, et de toute façon elle ne va pas descendre et commencer à essayer les portes pour vérifier si l'une d'elles, par hasard, n'a pas été fermée à clé. Le chien la saisirait à la gorge en trente secondes.

La meilleure solution, c'est de rester là où elle est jusqu'au matin. Se coucher ici et rester recroquevillée toute la nuit sur le toit du Ford Escape en essayant de sommeiller un peu ne va pas être une affaire douloureuse, ça ne la fera pas trop souffrir si elle ne s'endort pas au point de rouler accidentellement et de tomber du monospace.

À présent il fait presque nuit et la chaleur de la journée s'est en grande partie dissipée. Ventana espère qu'il ne va pas pleuvoir. D'habitude, à cette heure-ci, des nuages arrivent de l'océan ; ils sont porteurs d'averses qui parfois se transforment en forte pluie susceptible de durer plusieurs heures avant que les nuages ne soient complètement essorés. Si ça se produit, ça l'embêtera beaucoup, mais elle le supportera.

Là-bas dehors, dans le monde au-delà de la clôture, c'est plus calme que d'habitude. Il y a peu de circulation et pas de piétons – Ventana peut voir toute la Septième Avenue vers le nord jusqu'à l'arrêt de bus au niveau de la 103ᵉ Rue, et vers le sud jusqu'à la 95ᵉ. Là, à trois maisons de l'avenue, se trouve son bungalow aux pièces en enfilade, peint en rose, avec ses fenêtres plongées dans le noir, personne n'étant là. L'étroit garage en bois qu'elle a vidé il y a une semaine et où elle comptait abriter sa voiture ce soir est fermé mais toujours vide, inutilisé, en attente. Le long de la Septième Avenue, les réverbères s'animent soudain et s'allument. Le bus 33, presque vide, passe devant elle avec un grondement. Un véhicule de police file en direction inverse, tous feux clignotant comme pour la fête nationale.

Avec son sac à main en guise d'oreiller, elle se couche sur le côté, face à la 97e Rue. Elle n'entend plus les grognements du chien ni cette respiration lourde et humide qui sort de sa gueule ouverte, et elle se dit que soit il est couché tout près dans l'obscurité en essayant de lui faire croire qu'elle peut descendre du toit, soit il est simplement en train de faire sa ronde et va bientôt revenir pour s'assurer qu'en son absence momentanée elle n'a pas tenté d'escalader la clôture. Elle s'aperçoit soudain qu'elle est épuisée et que, malgré sa peur, c'est à peine si elle parvient à garder les yeux ouverts.

Puis ses yeux se ferment.

Il se peut qu'elle ait dormi quelques minutes, à moins que ce ne soit quelques heures, mais quand elle rouvre les yeux il fait noir. Sur le trottoir juste de l'autre côté de la grille, quelqu'un vêtu d'un sweat à capuche gris sautille sur place, les mains enfoncées dans les poches, et il la fixe des yeux. Il est à moitié dissimulé dans l'ombre du bâtiment, hors du rayon du réverbère de l'avenue ; c'est un jeune Noir élancé ou alors un ado de la taille d'un homme, elle ne saurait le dire.

"Hé, m'dame, vous faites quoi, là ?"

D'abord, elle ne répond rien. Que fait-elle là ? Puis elle dit : "Il y a un sale chien qui m'empêche de descendre. Et le portail est fermé à clé."

Elle se redresse, toujours assise, et voit à présent que c'est un ado, mais pas un de ceux qu'elle connaît dans le quartier. Dans ce coin, la plupart des habitants sont des gens plutôt âgés, des retraités propriétaires de leur petit logement, et aussi des parents célibataires dont les enfants adultes ou les petits-enfants semblables à ce garçon vivent souvent à Overtown, ou à Liberty City, ou à Miami Gardens et dans les banlieues. Il est plus jeune que ne le laisserait penser sa taille, sans doute n'a-t-il pas plus de treize ou quatorze ans, et il est venu probablement rendre visite à sa mère ou à sa grand-mère. Il s'approche de la grille lorsque soudain le chien émerge de l'obscurité, fonce en grondant et fait claquer ses dents entre les barreaux, ce qui renvoie le garçon vers la rue.

"Wow ! Une sale bête, ouais !"

Ventana lui dit : "Rends-moi service. Va voir s'il y a un veilleur dans le salon d'exposition. Personne répond au téléphone quand j'essaye d'appeler, mais il y a peut-être quelqu'un qui veille, là-bas."

Le garçon contourne le bâtiment, arrive devant et jette un coup d'œil par la vitrine du salon. Quelques instants plus tard, il revient. "S'il y a quelqu'un, il est dans le noir."

Le chien qui halète d'excitation a pris position entre la clôture et le Ford Escape – avec ses petits yeux jaunes, son front plat et dur comme une pelle, et sa gueule large, sans lèvres et pleine de dents, il surveille aussi bien le garçon d'un côté de la clôture que Ventana de l'autre.

"Si vous avez un téléphone, m'dame, pourquoi vous faites pas le 911 ?

— J'aurais du mal à expliquer à la police comment je suis entrée ici, dit-elle.

— Ouais, sans doute, dit-il. Alors, comment vous avez fait ?

— C'est pas important. Je cherchais à acheter une voiture. L'important, c'est comment je vais sortir d'ici."

Ils restent tous les deux sans rien dire un moment. À la fin, le garçon dit : "Peut-être quelqu'un avec une grue pourrait faire ça. Vous savez, ils baissent un crochet, vous vous accrochez et on vous soulève ?"

Elle se représente la chose et dit : "Pas question. Je finirais dans le journal du soir à coup sûr.

— Je vais téléphoner au 911 pour vous, m'dame. Vous en faites pas, ils vont vous sortir de là.

— Non, ne fais pas ça", crie-t-elle. Mais c'est trop tard, il a déjà sorti son téléphone portable et il appelle.

Une régulatrice répond, et le garçon explique qu'une dame est coincée par un chien féroce dans un parc à voitures à l'angle de la Septième Avenue nord-ouest et de la 97ᵉ Rue. "Il faut la secourir", dit-il.

La régulatrice demande le nom du parc à voitures, et le garçon le lui donne. Elle lui demande son nom, et il répond Reynaldo Rodriquez. Ventana relie le nom de famille au badge que porte une femme terriblement obèse qu'elle connaît vaguement, qui vit dans la 96ᵉ Rue et travaille tôt le matin au restaurant Esther's Diner de la 103ᵉ Rue. Elle est si grosse qu'on n'arrive pas à bien situer son âge, mais c'est sans doute la tante ou la sœur aînée de ce garçon, et c'est à elle qu'il est venu rendre visite. De toute évidence un gentil garçon. Comme son Gordon Junior au même âge.

Elle entend Reynaldo dire à la régulatrice qu'il ne connaît pas personnellement la dame qui se trouve dans le parking de Sunshine Cars USA et qu'il ne sait pas comment elle y est entrée. Il dit qu'il ne pense pas qu'il y ait d'alarme anti-intrusion, qu'en tout cas il n'en entend pas, que tout ce qu'il peut voir ou entendre, c'est une femme coincée par un chien d'attaque à l'intérieur d'une clôture fermée. Il explique qu'elle s'est assise sur le toit d'une voiture pour échapper au chien. Il écoute et, après un moment de silence, il demande pourquoi il devrait appeler la police. La dame ne fait rien d'illégal. Il écoute encore quelques instants, puis dit OK et termine l'appel.

"Elle m'a dit que c'est pas le boulot du 911 de prendre une décision dans cette situation. Elle m'a dit qu'ils sont juste un centre d'appels, pas la police. Que je téléphonais à propos d'une effraction. Elle m'a dit de téléphoner directement à la police, rapporte-t-il à Ventana. Elle m'a même donné le numéro du commissariat.

— N'appelle pas.

— D'accord, j'appelle pas. C'est dommage que vous soyez pas un chat dans un arbre. Les pompiers seraient là en un clin d'œil et ils poseraient pas de questions." Il se penche, plonge son regard dans les petits yeux du chien, et la bête soutient son regard en émettant un grondement qui part des profondeurs de sa poitrine.

Elle dit : "Tu ne voudrais pas aller tout au bout du parc, dans la 98ᵉ Rue ? Pour faire du boucan à côté de la grille, comme si tu essayais d'entrer. Quand le chien foncera là-bas pour t'en empêcher, j'essayerai de grimper par-dessus la clôture. Essayons.

— OK. Mais on risque de m'envoyer en taule, vous savez, si j'ai l'air de vouloir chourer des trucs dans ces caisses ou d'entrer dans le bâtiment. Et ça aura cet air-là. Ils ont sans doute posé des caméras de surveillance. Y en a partout, vous savez."

Elle est d'accord. Elle lui dit de laisser tomber, elle devra tout simplement passer la nuit ici, sur le toit de ce monospace, en espérant qu'il ne pleuve pas, et attendre que le marchand de voitures rouvre le lendemain matin.

Reynaldo a ressorti son téléphone. Il vient de chercher un numéro et il est en train de le composer.

"Tu appelles qui, maintenant ?

— Si vous voyez quelque chose, dites-le, ouais. Ils nous répètent ça tout le temps, pas vrai ?

— Qui ça ?

— La télé. Les infos de Channel 5, dit-il. J'ai vu un truc, alors maintenant je vais le dire." Et avant qu'elle puisse lui demander d'arrêter, le voilà en train de parler à une réalisatrice et de lui raconter qu'un affreux sale pitbull retient prisonnière une dame dans un parc pour voitures d'occasion à l'angle de la Septième ouest et de la 97e Rue. "Ouais, dit-il, Sunshine Cars USA. Le 911, c'est moi qui l'ai appelé pour elle, et ils ont refusé d'aider. Re-fu-sé ! Vous devriez envoyer une équipe ici avec une caméra et mettre ça dans les nouvelles de onze heures pour aider la dame. Peut-être que les gens qui possèdent le parc de voitures le verront à la télé et viendront ouvrir la clôture et faire partir leur sale clebs."

La réalisatrice lui demande qui il est, et il lui donne son nom en expliquant qu'il est un passant.

La femme lui dit d'attendre l'arrivée de l'équipe parce qu'on voudra le filmer lui aussi. Elle ajoute qu'ils seront là dans quelques minutes tout au plus.

Il répond qu'il les attendra et coupe. Avec un grand sourire, il lance à Ventana : "On va être célèbres, ouais.

— Je veux pas être célèbre. Je veux juste me libérer de ce chien, de sa clôture et de ses bagnoles et rentrer chez moi.

— Des fois, la seule façon de se libérer c'est d'être célèbre, dit le garçon. Qu'est-ce que vous dites de Mohamed Ali ? Ou d'O. J. Simpson ? Vous vous souvenez ? Célèbre. Et Jay-Z ? Célèbre et libre. Je peux en nommer plein.

— Reynaldo, arrête. T'es juste un gamin.

— Ça fait rien, dit-il en riant. Je sais quand même des trucs."

Pendant le quart d'heure qui suit, Ventana et Reynaldo bavardent comme s'ils étaient assis face à face à une table du restaurant Esther's Diner, et il s'avère que la très grosse serveuse de l'Esther's dont le badge porte le nom Esmeralda Rodriquez est bien la mère de Reynaldo. Il dit qu'il vient la voir une fois par semaine mais qu'il habite avec son père et la nouvelle femme de son père à Miami Gardens parce que les écoles sont censées être meilleures là-bas, mais c'est pas trop cool entre lui et la nouvelle femme de son père. Ventana lui demande pourquoi et il hausse les épaules puis explique qu'elle est vraiment jeune et qu'elle lui dit du mal de sa mère à lui, ce qui n'est pas cool du tout. Ventana veut savoir pourquoi il ne met pas son père au courant, pourquoi il ne lui demande pas de dire à la jeune femme de ne plus mal parler de sa mère. Il répond qu'ils n'ont pas ce genre de relation.

Elle fait "Oh", et ils restent silencieux quelques moments. Elle aime bien ce garçon, mais elle n'apprécie pas qu'il ait téléphoné à la chaîne de télévision. Maintenant, c'est trop tard. Et puis peut-être qu'il a raison, ce garçon, peut-être que le fait de passer à la télévision lui permettra de se libérer.

Un fourgon blanc décoré de l'œil de CBS et d'un gros 5 peint sur le côté débouche de la Septième Avenue pour tourner dans la 97ᵉ Rue où il se gare près de Reynaldo. Le conducteur, un cameraman et un preneur de son descendent et commencent à extraire de l'arrière du véhicule quelques lampes, une perche de micro, des câbles, une batterie, une caméra et un trépied. À la suite du fourgon arrive une Ford Taurus vert pâle, très semblable à celle que Ventana avait l'intention d'essayer, et elle est conduite par une Noire aux cheveux défrisés. Elle descend de la voiture ; c'est une grande jeune femme en minijupe de cuir et chemise lavande en soie, et elle a l'air d'une actrice ou d'un mannequin. Son visage luit. Elle parle un instant avec le cameraman et son équipe, puis se dirige vers Reynaldo. Elle lui demande si c'est lui qui a appelé *Chose vue, chose dite* à Channel 5.

Il répond oui et indique du doigt Ventana perchée sur le Ford Escape gris argent. "Mais c'est elle qui est coincée dans le parc. Ce chien, là, il l'empêche de descendre de la voiture et de passer par-dessus la grille."

Tout en retouchant son maquillage, la journaliste demande au garçon s'il est exact qu'il a appelé le 911 et que ce service a refusé son aide, et il répond que c'est exact. On lui a juste dit d'appeler la police au cas où il s'agirait d'une effraction.

La journaliste demande : "C'est une effraction ?"

Il se met à rire. "C'est un peu tôt dans la soirée pour un cambriolage. Pourquoi vous lui demandez pas, à elle ? Filmez-la avec votre caméra, suggère Reynaldo. Et vous pouvez me filmer aussi. Je vous ai vue à la télé, je vous reconnais. Mais j'ai oublié votre nom.

— Autumn Fowler", dit-elle. Une fois que le cameraman a placé sa caméra de façon à regrouper la grande clôture hérissée de pointes, le Ford Escape gris argent et Ventana à l'arrière-plan, la journaliste se place immédiatement au centre du premier plan. Le preneur de son glisse sa perche au-dessus de la tête de la journaliste, juste hors du champ de la caméra. Le conducteur qui s'occupe aussi des éclairages a disposé ses lampes de façon à illuminer tour à tour Autumn Fowler, Ventana et Reynaldo simplement en faisant tourner le réflecteur. Le chien, à présent dans le cercle de lumière, sautille sur place en grognant avec une mine renfrognée comme un boxeur qui vient d'entrer sur le ring et montre au public qu'il va exploser de fureur contre tout individu assez stupide pour monter sur le ring avec lui.

Plusieurs personnes se sont approchées d'un pas hésitant sur le trottoir et petit à petit arrivent au niveau du fourgon. D'autres émergent de maisons voisines, et en peu de temps une foule se masse là, attirée comme des papillons de nuit par les lumières, la caméra et la grande femme tellement glamour qui a attaché un petit micro à son chemisier. L'un après l'autre, ils comprennent pourquoi la caméra, les lumières, le micro et la célèbre journaliste de la télé sont dans leur quartier : c'est à cause de cette femme d'âge mûr sur le toit d'un monospace gris métallisé, une de leurs voisines, amie de certains d'entre eux, et elle est coincée à l'intérieur d'un parc à voitures d'occasion fermé par des chaînes, verrouillé et gardé par un pitbull. Plusieurs d'entre eux échangent son nom et se demandent comment, bon sang, Ventana Robertson s'est fourrée dans une telle situation. Deux ou trois d'entre eux suggèrent même que Ventana est si futée et débrouillarde qu'elle fait peut-être ça pour une émission de téléréalité.

Autumn Fowler dit au cameraman : "Je vais faire l'intro, et ensuite, quand je le montrerai du doigt, fais un panoramique sur le chien avant de remonter vers la femme quand je la montrerai du doigt. Une fois que je lui aurai posé deux ou trois questions, reviens sur moi et je parlerai au gamin un instant.

— Parfait.

— Je vais passer à la télé combien de temps?" demande Reynaldo.

Autumn Fowler lui sourit. "Assez longtemps pour que tous tes amis te reconnaissent.

— Super!"

La journaliste s'adresse alors à Ventana et lui demande son nom.

Ventana déclare : "Je ne veux pas dire mon nom à la télé. Je veux juste que les propriétaires du chien viennent le mettre en laisse pour que je puisse descendre d'ici et rentrer chez moi.

— Je comprends. Je vais peut-être devoir vous demander de signer une décharge. Vous pouvez le faire? Et à toi aussi, dit-elle à Reynaldo.

— Si vous pouvez me faire sortir d'ici, je signerai ce que vous voudrez, dit Ventana.

— Moi aussi. Mais vous pouvez dire mon nom à la télé. C'est Reynaldo Rodriquez", dit-il. Et il lui épelle Reynaldo.

"Merci, Reynaldo.

— Pas de problème, Autumn."

Autumn s'adresse pendant quelques secondes à la caméra pour expliquer aux spectateurs chez eux qui elle est et de quel endroit elle fait ce reportage. Elle décrit brièvement la situation critique de Ventana, se tourne vers elle et lui crie : "Pouvez-vous nous dire comment vous vous êtes retrouvée enfermée derrière cette clôture, madame ?

— Je voulais acheter une voiture. Je suppose qu'ils ont oublié que j'étais là, les propriétaires de ces voitures, et ils ont fermé le portail à clé et sont partis. J'ai essayé de téléphoner…

— Et ce chien, dit Autumn en l'interrompant, ce chien très méchant vous a empêchée d'escalader la clôture et de sortir ? C'est bien ça ?" dit-elle en signalant au cameraman de se mettre à filmer le chien qui, à ce signal, bondit aussitôt contre la grille en grondant férocement.

"Oui, c'est exact.

— Je crois savoir que vous avez un téléphone portable. Avez-vous appelé le 911 ?"

Derrière elle, Reynaldo intervient : "C'est moi qui ai fait le 911. Elle voulait pas que je le fasse."

Autumn secoue la tête, irritée. "Je suis à vous dans une minute, dit-elle. Puis, à Ventana : Pouvez-vous nous dire ce qui s'est passé quand vous avez eu le 911 ?

— Ils m'ont dit qu'il devait s'agir d'une effraction et que donc c'était pas leur problème. Que ça concernait la police, explique Ventana en ajoutant qu'elle a laissé un message sur le répondeur du marchand de voitures d'occasion mais que ça aussi n'a servi à rien. Ils n'écoutent sans doute pas leurs messages. J'espère qu'ils regardent la télé ce soir et qu'ils vont venir attacher ce chien et ouvrir le portail.

— Sinon?

— Sinon, je vais rester perchée ici jusqu'à demain matin quand ils viendront travailler."

Autumn se tourne vers la caméra. "Et voilà. Une femme seule, obligée de dormir dehors comme une SDF par une nuit froide et humide, terrorisée par un chien de garde féroce, enfermée dans une cage comme un animal. Et quand elle appelle le 911 pour avoir de l'aide, on lui refuse cette aide." Elle fait signe au cameraman, à l'éclairagiste et au preneur de son de se concentrer sur Reynaldo. "C'est bien vous qui avez appelé le 911 pour elle?

— Oui, m'dame. C'est exact. Je m'appelle Reynaldo Rodriquez. De Miami Gardens."

Autumn se détourne de lui, et, de nouveau face à la caméra : "Merci, Reynaldo. Un bon Samaritain, un jeune homme qui a entendu quelque chose et qui a donc dit quelque chose. N'oubliez pas : si vous entendez quelque chose, dites quelque chose. Appelez-nous au 305-591-5555 ou envoyez-nous un e-mail à entendredire, arobase cbsmiami point com. Autumn Fowler depuis Miami Shores."

Elle détache le micro de son chemisier et dit au cameraman qu'elle a terminé.

Reynaldo dit : "Vous voulez pas poser d'autres questions à moi ou à la dame? Vous pourriez appeler le 911 vous-même, le faire pendant que la caméra tourne. Ça serait un truc de télé vraiment top!

— Désolée, gamin. Cette histoire, c'est un peu celle d'un chat qui peut pas descendre d'un arbre.

Pas aussi extraordinaire et sensationnel que tu crois."
Elle lui tend la décharge pour qu'il la signe. Il gri-
bouille son nom et lui rend le formulaire. Elle crie à
Ventana : "Ne vous embêtez pas pour la signature, de
toute façon on n'a pas cité votre nom." Elle monte
dans sa voiture et met le moteur en marche. Pendant
que le cameraman et ses deux assistants rassemblent
leur équipement et les câbles pour les entasser dans
le fourgon, elle fend lentement la foule avec sa voiture et s'en va. Une minute plus tard, l'équipe et le
fourgon ont eux aussi quitté la scène.

Une fois parties les lumières, la caméra et la célèbre
animatrice de la télévision, les badauds regroupés là
se désintéressent rapidement de l'affaire. Ils ne sont
pas inquiets pour Ventana : maintenant qu'on l'a
filmée pour la télé, elle a accédé à un autre niveau
de réalité et de pouvoir, un niveau plus élevé que le
leur. Ils vont rentrer lentement dans leurs maisons
ou leurs appartements où ils attendront de pouvoir
regarder le journal de fin de soirée sur Channel 5
en espérant se voir brièvement à l'arrière-plan, ou
apercevoir leur quartier, le parc à voitures d'occasion
devant lequel ils passent à pied chaque jour que le
bon Dieu fait, et tout cela, grâce à la télé haute définition, sera rendu plus radieux, plus coloré et plus
multidimensionnel que ça ne le sera jamais dans la
vraie vie. Le fils adolescent de leur voisine Esmeralda
Rodriquez restera dans leur souvenir surtout parce
qu'il s'est placé de telle sorte qu'il les empêchait de
bien voir la journaliste. Quant à la femme coincée
derrière la clôture par le chien d'attaque, leur voisine Ventana Robertson dont le visage et la situation
critique ont été noyés par la vive lumière de la télévision, et la présence ici même dans le quartier de la

belle et charismatique journaliste, elles seront pratiquement oubliées. C'est comme si un ange avait atterri à l'improviste dans la Septième Avenue nord-ouest au niveau de la 97ᵉ Rue et qu'ensuite, une fois que l'ange a regagné son royaume céleste, nul n'essayait de se rappeler le motif de sa visite. On se souvient seulement qu'un ange est brièvement venu ici, sur terre, prouvant ainsi qu'il existe vraiment un ordre d'êtres supérieurs.

"Ça va? demande Reynaldo à Ventana.

— Bien sûr que non! Je suis toujours là-dessus, pas vrai? Et le chien est toujours là, en bas."

Reynaldo reste silencieux un moment. "Peut-être quand ça passera au journal de onze heures…

— Mon pauvre gamin! Ça passera pas. Tu l'as entendue, c'est juste une histoire de chat coincé dans un arbre, pour elle et ses potes de la télé. Allez, rentre chez ton papa, maintenant. Ça va te prendre du temps, de traverser Miami Gardens en bus, et sans doute ils t'ont donné une heure limite."

Il racle la pointe de sa chaussure de tennis gauche contre la chaussée. Puis la chaussure droite. "Ça va aller, pour vous?

— Mais oui! Maintenant, file!" Elle n'est pas en colère contre lui ; en fait, elle lui est reconnaissante d'être aussi gentil, mais elle crie néanmoins avec rage : "Allez, vas-y, file, maintenant!

— OK, OK, faut pas vous exciter comme ça. Je m'en vais." Il fait quelques pas en direction de l'avenue, puis il se retourne et dit : "J'espère qu'il va pas vous pleuvoir dessus.

— Je t'ai dit de filer!" hurle-t-elle, et Reynaldo se met à courir.

Maintenant, Ventana est seule. À part le chien. Il paraît plus calme depuis que tout le monde est parti. Et il ne gronde plus. Il est roulé en boule comme un nœud de muscles gris et épais devant la fourgonnette Honda garée à côté du Ford Escape, et il semble dormir. Ventana aimerait bien connaître son nom. Si elle le connaissait, elle pourrait parler à ce chien et peut-être le rassurer quant à ses intentions. Il doit avoir déjà compris qu'elle ne lui veut pas de mal, ni à lui ni à son propriétaire. Elle est sa prisonnière depuis plus de quatre heures et elle n'a rien fait qui puisse le menacer. Au début, quand elle a couru pour lui échapper et qu'elle est montée sur le toit de la Taurus qu'elle comptait essayer sur route et peut-être acheter, puis quand elle a sauté de toit en toit jusqu'à aboutir ici sur le Ford Escape gris argent, il a dû raisonner – en supposant que les chiens d'attaque raisonnent d'une façon ou d'une autre – et penser qu'elle était coupable d'un crime ou sur le point d'en commettre un. Elle n'aurait sans doute pas dû courir comme ça, elle aurait plutôt dû ne pas reculer, mais il la terrifiait.

Mais ça, c'était il y a longtemps, et depuis lors elle est son unique compagnon, ici, derrière la clôture, tandis que de l'autre côté de la grille les gens sont allés et venus, ont scruté le chien et ont eu peur de lui, ont braqué sur lui des lampes et des caméras pour le montrer à des téléspectateurs. Tout le quartier a défilé pour le regarder et pour la regarder elle aussi comme s'ils étaient des animaux dans un zoo. Après tout ça, il doit être habitué à la présence de Ventana, comme s'ils étaient compagnons de cage et non ennemis.

Lentement, elle se glisse jusqu'au bord du toit et, avec plus d'ouverture d'esprit qu'auparavant, soigneusement, calmement, presque objectivement, elle examine le chien. Elle a encore peur, mais la vue de cette bête ne la met plus dans un état de panique. Il est gros pour un pitbull et pourrait peser autour de vingt-cinq kilos – elle a vu dans le quartier de nombreux échantillons de cette race se promener avec leurs pattes arquées et leur torse bombé si caractéristique en compagnie de jeunes hommes en baggy laissant dépasser la moitié de leur slip, tee-shirt ultra-moulant et casquette de base-ball à l'envers, des garçons qui sont à peine des hommes et ont le même air que leur chien car, dit-on, les chiens et leurs maîtres, comme les maris et leurs femmes, en viennent à se ressembler. Elle connaît personnellement un certain nombre de ces jeunes hommes, et cela depuis qu'ils sont petits. Au fond d'eux-mêmes, ils ne sont ni durs ni dangereux ; ils sont doux et apeurés. C'est pourquoi ils ont besoin d'arpenter les rues avec un chien méchant d'aspect dangereux qui tire sur la chaîne qui lui sert de laisse.

Elle remarque que le chien l'observe depuis un moment avec ses yeux jaunes mi-clos. Il ne remue toujours pas, seule sa poitrine en forme de baril monte et descend. Il respire par le nez, et sa gueule sans lèvres est refermée sur ses dents comme celle d'un python géant. Un bon signe, se dit Ventana. Elle laisse ses jambes pendouiller au-dessus du pare-brise du Ford jusqu'à ce que ses pieds touchent presque le capot. Le chien ne bouge pas.

"Comment tu t'appelles, chien-chien ?" Sa question la fait presque rire. Elle peut l'appeler comme elle veut, et ce sera son nom au moins pour cette nuit. Elle se demande s'il appartient au Noir ou au Blanc tout maigrichon. Elle n'a aucune idée du nom que donnerait à son chien d'attaque un Blanc tatoué, mais s'il appartient au Noir, il aurait un nom de la campagne et du Sud, quelque chose comme Blue. Elle se souvient d'un vers d'une vieille chanson : *J'avais un chien et il s'appelait Blue…*

"Hé, Blue, tu vas laisser la gentille dame descendre?"

Au son de sa voix, le pitbull lève sa tête massive, regarde Ventana quelques secondes puis baisse de nouveau la tête. Il la contemple les yeux grands ouverts, maintenant ; ses petites oreilles sont penchées vers l'avant et son front est ridé comme par des pensées. Ventana se rappelle d'autres vers de la chanson et les lui chante d'une voix fluette, presque aiguë :

Tu sais, Blue était un bon vieux chien,
L'a fait grimper un opossum dans un tronc creux.
Ça montre que Blue était un bon vieux chien…
L'vieux Blue avait de grosses pattes rondes,
Et jamais ne laissait un opossum redescendre par
terre…

Pas de réaction de Blue, ce qui, estime-t-elle, est bon signe. Du coup, elle se laisse glisser vers l'avant et, dès que ses pieds touchent le capot du monospace, elle se lève. Les pieds écartés, les mains sur les hanches, les épaules droites, elle pense être l'image même de la confiance en soi et des bonnes intentions. "Eh bien, Blue, dit-elle en souriant. Qu'est-ce que tu en dis? Je commence à croire qu'on va être copains, toi et moi."

Blue se lève, redresse lui aussi les épaules et semble sourire à son tour. Sa queue, tel un bout de câble d'acier, fait des va-et-vient apparemment amicaux, et il baisse les oreilles d'une façon laissant penser qu'il se soumet à Ventana, comme s'il avait décidé que pour l'instant, jusqu'au retour de son propriétaire, ce sera elle la patronne. Il doit appartenir au Noir, se dit Ventana, pour être aussi décontracté avec des Noirs. Il se peut que le Blanc ne soit pas le patron, comme elle se l'était imaginé à l'origine. Elle avait décidé un peu plus tôt que quand elle sortirait d'ici, que ce soit cette nuit ou demain matin, elle ne reviendrait pas, n'essaierait ni n'achèterait de véhicule chez Sunshine Cars USA. Mais à présent elle pense qu'elle le fera peut-être.

Elle s'assoit sur le capot et déclare à Blue en face qu'elle va marcher jusqu'au portail de la clôture et qu'elle va tenter de l'escalader. "Désolée de te quitter, mon vieux Blue, mais il faut que je rentre chez moi, explique-t-elle. Je dois travailler demain et j'ai besoin de dormir."

En gardant le Ford gris argent entre eux, sans encore détacher ses yeux du chien, elle laisse glisser ses pieds depuis le capot jusqu'au sol et fait un petit pas pour s'éloigner du véhicule. Blue l'a regardée descendre, et à part se lever et balancer sa queue de gauche à droite, il n'a pas réagi, n'a même pas cillé. Pour la première fois depuis qu'elle a quitté le capot du monospace, Ventana le lâche des yeux – un test de dix secondes. Quand elle se retourne, il n'a pas bougé ni changé d'expression. Il la regarde presque comme s'il était content qu'elle s'en aille, comme si son départ allait le décharger de sa tâche et lui permettrait de trouver un endroit tranquille dans le parc à voitures pour dormir paisiblement le reste de la nuit.

"OK, maintenant je m'en vais. Au revoir, Blue."

Ventana avance lentement le long de la clôture en direction de la barrière cadenassée trois voitures plus loin. Elle ne se retourne pas pour regarder Blue, et elle n'a pas une allure hésitante mais la démarche de quelqu'un qui ne craint rien, cachant sa peur comme elle l'a fait quand elle est entrée dans ce parc d'exposition quelques heures plus tôt. À ce moment-là aussi elle avait peur, mais seulement d'acheter une voiture, de se faire rouler par le vendeur – ou la vendeuse, si elle finissait par l'acheter à la jeune Latina. Elle craignait que la voiture ne s'avère être une guimbarde usée à mort qui resterait à rouiller sur des pavés dans son jardin ; et qu'elle ait ainsi gaspillé l'argent déposé à la coopérative de crédit – cent dollars par mois pendant trois longues années. Maintenant, elle craint d'avoir dangereusement mal évalué les intentions et les désirs d'un chien d'attaque. Bien qu'elle marche avec un semblant d'assurance, il se peut qu'elle soit en train de se sacrifier à un ensemble de principes obscurs mais néanmoins sacrés qui régissent la propriété et le commerce. Elle craint la douleur aveuglante qui la saisira si le chien l'attaque. Et, pendant une seconde, elle se permet d'imaginer le terrible soulagement qui vient lorsque seule la mort peut ôter la douleur. Voilà où en est arrivée sa nuit.

Elle se souvient d'un autre couplet de la vieille chanson, mais cette fois elle se le chante en silence :

> *L'vieux Blue est mort et j'ai creusé sa tombe,*
> *J'l'ai creusée avec une bêche en argent.*

Le portail fermé par la chaîne et le cadenas est assez large pour qu'une voiture y passe quand on l'ouvre. Juste au-dessous de la pointe des barreaux de deux mètres cinquante, il y a un tuyau d'acier horizontal, et Ventana se dit qu'elle doit être assez grande pour l'atteindre. Elle ajuste son sac de telle façon que l'anse passe sur sa poitrine et que le sac pende dans son dos. Elle tend les bras et, sur la pointe des pieds, réussit à attraper le tuyau. Elle se soulève de quelques centimètres au-dessus du sol, puis encore de quelques centimètres, jusqu'à être assez haute pour passer son coude droit entre les pointes des barreaux au-dessus du tuyau. Tout son poids est alors suspendu à son bras droit dont elle se sert comme point d'appui pour lancer son pied gauche vers le haut et le glisser entre les barreaux au-dessus du tuyau. Maintenant que son pied gauche est calé entre deux piques, elle est en mesure de saisir ces piques avec ses deux mains et elle se soulève suffisamment pour regarder par-dessus la clôture. Soudain, elle se souvient des derniers vers du couplet :

Je l'ai fait descendre au bout d'une chaîne en argent,
Et à chaque chaînon je disais son nom.

Les rues vides et les trottoirs, là-dehors, les magasins, les entrepôts et les maisons plongés dans l'obscurité, la ville vaste et sombre elle aussi, tout semble s'étendre sans fin dans la nuit. Elle est sur le point de se libérer de cette cage. Elle va s'échapper dans la ville. Sa jambe droite pend derrière elle à presque un mètre du sol. Le chien ne gronde ni ne grogne. Il ne respire même pas bruyamment. Silencieux, il frappe comme un serpent. Tel un étau, ses mâchoires puissantes se referment sur la jambe de Ventana. Il l'entraîne en arrière, l'arrache au portail.

LE PERROQUET INVISIBLE

C'EST UN MEC QUI ENTRE dans un bar avec un perroquet sur l'épaule…

En réalité, Billy entre dans un petit magasin d'alimentation du quartier, pas dans un bar, et il fait juste semblant d'avoir un perroquet sur l'épaule. Il essaye d'inventer une nouvelle version d'une vieille blague. Quand Billy se sent déprimé ou effrayé – et ce matin, c'est les deux –, il se lance dans des conversations imaginaires avec lui-même.

Ce magasin vend de l'épicerie, de l'alcool et des cigarettes, on y sent des odeurs de poisson de trois jours, de lait aigre et de tabac. Il est situé dans Alton Road, un pâté de maisons au nord de Lincoln Road, entre les hôtels de la plage et les immeubles d'habitation du bord de la baie. Coincé entre un Burger King et un salon de massage, il est sombre et miteux – quatre étroites travées surchargées et une seule caisse tenue par une Chinoise fluette d'une cinquantaine d'années. Les bras croisés, elle est plongée dans ses pensées et contemple le plafond au moment où Billy entre nonchalamment avec son perroquet invisible. C'est une boutique où il s'arrête plusieurs fois par semaine à l'aller ou au retour de son travail à l'hôtel, et il connaît vaguement cette femme bien qu'ils n'aient jamais eu de vraie conversation.

Comme elle ne le regarde pas, il se sent disparaître, lui et son perroquet. Il se dit qu'elle doit être en train de calculer divers intérêts composés sur des sommes choisies au hasard et qu'elle ne veut pas interrompre ses calculs pour dire : *Bonjour, jeune homme. Quel bel oiseau!* Et le perroquet répondrait : *Merci, madame. Je voudrais le* Miami Herald *d'aujourd'hui avec les annonces immobilières du week-end et un plan de la ville. La municipalité vient de déclarer mon appartement inhabitable, il faut donc que je trouve un logement propre et pas cher qui accepte les êtres humains. Ah, ah, ah!*

Il y a deux autres personnes dans le magasin : une grande Noire au visage gris, dans la trentaine, et un Chinois d'âge mûr, voûté, muni d'une écritoire à pince, qui doit être le mari de la caissière. Il est en train de compter les boîtes cabossées dans la travée numéro deux et il les replace sur les étagères de façon à cacher les bosses. La Noire a des hanches volumineuses qui entrent difficilement dans son jean trop étroit, et elle porte une chemise d'uniforme de société vert foncé avec le prénom *Charlotte* brodé sur la poche poitrine droite. Elle a l'air d'avoir passé toute la nuit à nettoyer les sanitaires du centre médical Mont-Sinaï. Billy aussi est resté éveillé toute la nuit à emballer ses affaires pour quitter son appartement condamné. Il sait comment elle se sent. Plus ou moins. Dénuée de tout espoir. Et invisible. Mais pas pour lui : Billy la voit, et s'il peut la voir – si une seule autre personne arrive à savoir qu'elle n'est pas morte, qu'en dépit de tout elle a encore du ressort –, alors elle n'a pas à se sentir désespérée, pas vrai? Ça vaut également pour lui, dès lors qu'une autre personne peut le voir.

Elle prend un litre de Pepsi Light d'une main, un sachet de chips de l'autre, et les porte à la caisse. Billy retire un journal du présentoir et un plan de la ville d'un deuxième présentoir fixé au mur. La Noire et Billy arrivent à la caisse en même temps. Elle lance à Billy un regard hostile : encore un jeune Blanc qui veut passer devant les autres. Pas lui. Certainement pas. Il se retourne et contemple la vitrine des bonbons.

Elle pose avec force la bouteille en plastique et les chips sur le comptoir, pousse un soupir bruyant et attend que la Chinoise veuille bien prendre note de sa présence. Puis elle se racle la gorge sans obtenir davantage de réaction. Elle extrait de la poche arrière de son jean une enveloppe froissée et se met à examiner une liste écrite dessus. Elle pose l'enveloppe bien à plat sur le comptoir et, prenant un stylo-bille dans un pot à stylos près de la caisse, elle se penche sur l'enveloppe et raye les deux premiers articles de sa liste. Bill jette un coup d'œil par-dessus son épaule et lit les mots écrits en grandes majuscules :

DISTRIBUTEUR
COURSES
PAYER ÉLECTR.
COIFFEUR
TÉL. ETHYLEEN

Cette liste a quelque chose qui noue l'estomac de Billy, le contracte comme un poing. Il a l'impression que toute sa vie est écrite là. Charlotte sera déjà passée au distributeur automatique de billets et elle aura ramené son solde de vingt et quelques dollars à zéro. *Check*. Maintenant, elle achète un litre de Pepsi Light et un sachet de chips pour son petit-déjeuner. *Check*. Une fois qu'elle aura pris son petit-déjeuner assise toute seule sur le banc de l'arrêt de bus à l'angle de Lincoln et d'Alton Road, elle se rendra à pied à l'agence Florida Power & Light située dans le magasin Stop & Shop de l'Avenue ouest et, là, réglera sa facture d'électricité en retard – elle la paiera en liquide parce que ses chèques ont trop souvent été refusés pour non-provision. *Check*. Charlotte ira au salon de coiffure "Jeannie's/Cheveux coupés Tarifs rasés" pour refaire une ondulation. Sept dollars. *Check*. Maintenant qu'elle se sent jolie, Charlotte va acheter une carte de téléphone à un dollar et appeler Ethyleen sur son téléphone portable pour le lui raconter. *Check*. Ensuite, elle prendra le bus qui la ramènera à Overtown où elle ira à pied jusqu'à son immeuble, et, marchant sur des jouets, des ordures et du verre cassé, montera jusqu'à son appartement au deuxième étage. Elle a un fils adolescent censé être en classe mais qui est en train de jouer au basket dans le parc Franklin et un petit ami au chômage qui prétend chercher du travail mais qui y a renoncé depuis longtemps et qui, à la place, traîne dans le coin en se défonçant avec ses potes. Elle baissera le store de la chambre encombrée, ôtera ses vêtements et enfilera une nuisette. Elle réglera son réveil sur dix-sept heures pour ne pas arriver en retard à l'hôpital. Équipe de nuit. Charlotte enveloppe ses cheveux dans un foulard, se couche dans le lit qui n'a pas été fait et s'endort immédiatement. *Check*.

C'est tout, c'est la liste qui constitue sa vie. Billy se demande quel genre de liste il composerait, lui, pour représenter sa vie.

- ☐ ACHETER JOURNAL ET PLAN DE VILLE
- ☐ TROUVER NOUVEL APPART
- ☐ ALLER AU TRAVAIL
- ☐ DEMANDER PROMO D'AIDE-SERVEUR À SERVEUR
- ☐ DÉMÉNAGER AFFAIRES AU NOUVEL APPART APRÈS
  LE TRAVAIL

Cinq points – le même nombre sur sa liste que sur celle de Charlotte. Brusquement, il est irrité par la Chinoise qui fait attendre Charlotte sans raison valable. Cette femme semble faire exprès d'ignorer Billy et sa nouvelle amie.

"Hé, m'dame ! Vous avez des clients qui veulent payer, ici !"

La Chinoise se retourne lentement et le regarde. Elle mâchonne un cure-dent. Elle contemple quelques instants les objets qu'il tient dans ses mains – le journal et le plan – et les deux que présente Charlotte – Pepsi Light et sachet de chips. Elle fait passer le cure-dent d'un côté de sa bouche à l'autre.

"Pourquoi vous si pressé ?"

Le voilà gêné, à présent, et il regrette de ne pas avoir laissé Charlotte se plaindre elle-même ou de ne simplement pas avoir attendu jusqu'à ce que la dame soit prête à prendre leur argent. "Je… j'ai envie de pisser.

— Ici, pas WC public."

La femme se place tranquillement face au tiroir-caisse et enregistre le Pepsi et les chips de Charlotte qu'elle laisse tomber dans un sac en plastique. Charlotte paye avec quatre billets de un dollar, ramasse sa monnaie d'un geste vif et, sans regarder derrière elle, sort rapidement dans la rue. Billy se secoue et sautille sur place deux ou trois fois comme s'il avait réellement besoin de pisser. La Chinoise ne bouge qu'avec lenteur, prend le journal et le plan qu'il a posés sur le comptoir et les passe sous le scanner.

Quand Billy ouvre son portefeuille, il ne lui reste que deux billets de un dollar et un de vingt. Son dernier billet de vingt jusqu'au jour de paye. Le journal et le plan font un total de $ 6,45. Il tend le billet de vingt à la femme.

"C'est tout ce que vous avez? Trop tôt pour rendre la monnaie.

— Où est-ce que je peux en faire?

— À la banque, au coin. Ils ouvrent à neuf heures.

— C'est dans une heure et demie. Il faut que j'aille au boulot.

— Pas mon problème.

— J'ai juste assez de monnaie pour le journal.

— Alors, achetez journal."

Billy paye avec deux pièces de vingt-cinq cents et se dirige vers la porte où il s'arrête et se retourne. "Vous connaissez la femme qui était devant moi?

— Elle vient ici tout le temps.

— Alors, pourquoi vous l'avez fait attendre comme ça? Sérieusement. C'était pas très gentil, m'dame.

— C'est une droguée. Tout le temps, ici, elle essaye nous voler des choses", dit la Chinoise en refermant d'un claquement son tiroir-caisse. Elle croise de nouveau les bras sur sa poitrine et retourne à ses calculs.

Billy sort dans la rue baignée de soleil. Et là, il y a Charlotte qui l'attend. Elle le regarde dans les yeux d'un air implorant. Il se détourne et commence à s'éloigner en direction de Lincoln Road.

"Vous pourriez m'aider un peu, m'sieu? Il faut que j'aille à mon boulot à North Miami et j'ai besoin d'un dollar de plus pour le bus."

Billy s'arrête et la dévisage de la tête aux pieds. Ce n'est pas la même personne qu'il y a une minute. Alors qu'elle était invisible pour tous sauf pour Billy, elle est devenue une junkie visible pour tous. Sans doute camée au crack. "Et l'argent que vous venez de dépenser là-dedans en malbouffe? Ça vous aurait suffi pour aller en bus à North Miami.

— Je croyais qu'il m'en resterait assez, mais je me suis trompée. Je…

— Et votre liste?

— Quelle liste?

— Sur l'enveloppe. Je l'ai vue."

Elle ressort la même enveloppe de la poche à l'arrière de son pantalon et l'examine. "Vous la voulez? Je vous la donne pour un dollar.

— Je parlais de ce que vous avez écrit dessus.

— Elle était par terre. Quelquefois, il y a des gens qui perdent des enveloppes avec de l'argent dedans. Même les Chinois.

— Pourquoi vous avez coché des choses dans cette liste? Des trucs comme courses et distributeur?"

Elle hausse les épaules. "Pourquoi pas?

— Vous vous appelez Charlotte? Comme c'est marqué sur votre chemise?

— Peut-être. Peut-être pas. Vous avez un peu de monnaie, alors?

— Non.

— Ouais, eh bien, allez vous faire foutre, alors."

Lentement, Billy sort son portefeuille de la poche revolver de son pantalon. Il l'ouvre d'un geste rapide, en retire le billet de vingt et le passe à la femme.

Elle prend le billet sans le regarder et le fourre dans sa poche.

Elle lui tend l'enveloppe.

"Non, merci, dit-il.

— Elle est à vous, maintenant. Vous l'avez achetée, m'sieu."

Billy agite ses mains devant son visage.

La femme froisse l'enveloppe dans son poing serré et la jette sur le trottoir. "Bonne journée", dit-elle en s'éloignant.

Pendant une minute entière, Billy reste là à la regarder. Le perroquet sur son épaule dit : *Ça va, ça vient. Heureux celui qui trouve, malheureux celui qui perd. Un prêté pour un rendu.*

Billy lance au perroquet : "Ferme ta gueule, OK ?"

LES OUTER BANKS

QUITTANT LA ROUTE, Ed gara le camping-car sur une petite aire de stationnement goudronnée. Il orienta son grand véhicule gris clair face à la mer, le pare-chocs contre la barrière en béton, et Alice lui demanda : "Pourquoi est-ce qu'on s'arrête?"

La pluie arrivait de l'Atlantique en rideaux qui se succédaient comme les vagues se brisant sur le sable, sauf qu'elle tombait plus lentement sans gagner en force ni faiblir. Le couple regarda la pluie et les vagues à travers le pare-brise large et plat. Il n'y avait pas d'autre véhicule dans ce parking, et on n'en voyait pas non plus sur la route le long de la côte derrière eux. On était à la fin de l'automne, les maisons et les cottages loués pendant l'été étaient fermés en cette saison.

"Je ne sais pas pourquoi. Ou plutôt, si, je sais. À cause de la chienne." Il entrouvrit sa vitre et ralluma son bout de cigare devenu froid. Pendant un long moment, le couple resta assis en silence.

À la fin, ce fut elle qui dit : "Alors, c'est ça, les célèbres Outer Banks* de Caroline du Nord?

* Mince bande de sable et d'îles-barrières qui s'étend sur trois cent vingt kilomètres le long des côtes de la Caroline du Nord.

— Ouais. Désolé pour le temps, dit-il. « Le cimetière de l'Atlantique », Alice.

— Oui. Je sais.

— Une blague, Alice? Une blague?"

Elle ne répondit pas. Un moment passa, et Ed dit : "Il faut qu'on s'occupe de la chienne. Tu le sais.

— Qu'est-ce que tu penses faire? L'enterrer dans le sable? En voilà une bonne idée, Ed. L'enterrer dans le sable et continuer gaiement notre route comme si de rien n'était." Elle regarda ses mains un instant. "Moi non plus, j'aime pas y penser, tu sais."

Il se dégagea doucement du siège du conducteur, se leva en vacillant un peu, puis traversa l'espace de séjour et la coquerie soigneusement rangée pour gagner la salle d'eau pas plus grande qu'un placard où il s'agenouilla avec précaution et, repoussant le rideau de douche, contempla le corps de leur chienne. C'était une bâtarde noire et blanche, mélange de labrador et de springer, allongée sur le flanc dans la position où Ed l'avait trouvée le matin même lorsque, tout nu, il était allé se doucher. Il examina le museau raidi de la chienne. "Pauvre bête, dit-il.

— On devrait peut-être essayer de trouver un véto, cria-t-elle depuis l'avant.

— Alice, elle est morte! beugla-t-il.

— Ce que je veux dire, c'est qu'un véto saurait quoi en faire."

Ed se releva. Il avait soixante-douze ans ; les choses simples étaient devenues très difficiles en très peu de temps : se redresser, s'asseoir, sortir du lit, conduire pendant plus de quatre ou cinq heures. Quand ils étaient partis de chez eux un an plus tôt, rien de cela n'était encore difficile pour lui. C'était la raison pour laquelle il avait décidé de partir – la raison pour laquelle ils l'avaient décidé tous les deux –, car bien qu'alors aucune des choses simples n'ait été particulièrement difficile pour eux, ils étaient assez vieux pour savoir que tout ce qu'ils ne feraient ou ne verraient pas maintenant, ils ne le feraient ni ne le verraient jamais.

Cette idée avait aussi été celle d'Alice, pas seulement d'Ed – le romantisme de la route sans fin, voir l'Amérique et mourir, être le maître de son destin, tout ça – même si c'était lui qui avait mis au point le plan concret : vendre la maison de Troy et tous leurs meubles, acheter le camping-car et l'équiper, établir le trajet par autoroute qui les mènerait du Nord de l'État de New York à Disneyland puis au Grand Canyon, à Yosemite et aux Black Hills – *man*, il avait toujours rêvé de voir les Black Hills du Dakota du Sud, et le mont Rushmore était encore plus grandiose et enthousiasmant qu'il ne l'avait espéré –, ensuite il y avait eu Graceland et maintenant les Outer Banks. La quincaillerie ne lui avait pas manqué une seule fois, de même que la banque n'avait jamais manqué à Alice. Ils avaient attendu la retraite avec impatience, et une fois qu'ils l'avaient atteinte, elle leur avait bien plu, tel un lieu de vacances où ils auraient décidé de séjourner toute l'année. N'ayant pas d'enfants ni de petits-enfants ni d'autres parents proches, ils étaient aussi libres que des oiseaux. Des "oiseaux des neiges", comme on les avait appelés en Floride et là-bas en Arizona. Quand ils étaient partis de chez eux, leur chienne Rosie était déjà vieille – dix ans ou peut-être onze, il n'était pas sûr du chiffre. Ils l'avaient trouvée à la fourrière, mais, bon sang, il n'avait pas imaginé qu'elle allait mourir comme ça. C'était comme si elle avait fini par être à court d'air, à court de vie, comme une montre qui s'arrêterait parce que quelqu'un aurait oublié de la remonter.

Il jeta son mégot de cigare dans la cuvette des WC, le regarda une seconde et se retint de tirer la chasse – Alice allait faire la grimace en le voyant, il le savait, parce que c'était laid (même lui le pensait), mais il ne fallait pas gaspiller l'eau – et il revint d'un pas lourd à l'avant du camping-car où il s'assit dans le siège du conducteur.

"Les vétos, dit-il à Alice, sont pour les animaux malades. Pas pour ceux qui sont morts.

— Je suppose que tu veux la laisser ici dans un conteneur à ordures ou simplement la balancer quelque part au bord de la route.

— On aurait dû trouver un foyer pour Rosie. Quand on est partis de Troy, je veux dire. On aurait dû la donner à quelqu'un ou à quelque endroit, tu comprends?" Il regarda sa femme comme s'il cherchait une solution. Mais elle pleurait. En silence, et les larmes ruisselaient sur ses joues pâles ; elle pleurait sans interruption, comme si ça durait depuis longtemps et qu'elle n'avait pas la moindre idée de comment s'arrêter.

Il lui posa une main sur l'épaule. "Alice. Eh, allez, ne pleure plus. Bon Dieu, c'est pas la fin du monde, Alice."

Elle cessa, fouilla dans la boîte à gants à la recherche d'un mouchoir en papier, en trouva un et s'essuya le visage. "Je sais. Mais qu'est-ce qu'on va faire?

— À propos de quoi?

— Oh, Ed. À propos de Rosie. Et de ça, dit-elle en agitant une main en direction de la pluie et de la mer. De tout.

— C'est ma faute", dit-il. Il fixa le profil d'Alice en espérant qu'elle allait se retourner et lui dire que non, ce n'était pas sa faute à lui, que ce n'était la faute de personne. Mais elle ne se tourna pas vers lui ; elle ne dit rien.

Lentement, il se leva de nouveau. Il alla jusqu'à la salle d'eau où il repoussa le rideau de douche. Il s'agenouilla et souleva doucement la chienne dans ses bras, surpris qu'elle ne soit pas plus lourde. Allongée là, elle lui avait paru solide et pesante, comme sculptée dans du bois et peinte, comme un vieux cheval de manège inutilisé. Il la porta jusqu'à la porte latérale du camping-car qu'il ouvrit du genou, puis il descendit sur la chaussée. La pluie tombait et il fut vite trempé. Vêtu seulement d'une chemisette, d'un bermuda et de tennis, il eut brusquement froid. Il porta la chienne jusqu'à l'angle opposé de l'aire de stationnement, passa par-dessus la barrière qui séparait l'aire de la plage et continua à pas lents et prudents sur le sable mouillé en direction de l'eau. La pluie troublait sa vue, plaquait des mèches de cheveux blancs contre son crâne et ses vêtements légers contre son corps.

À mi-distance entre le parking et l'eau, il s'arrêta et posa la chienne par terre. L'effort le faisait haleter. Il essuya la pluie qu'il avait sur les yeux, se mit à genoux et commença à creuser le sable. Il l'enlevait par poignées avec les deux mains et finit par traverser le sable gris et mouillé pour atteindre la couche sèche dessous, puis continua à gratter jusqu'à ce qu'il eut dégagé un grand trou. Toujours à genoux, il saisit le corps de la chienne de l'autre côté du trou et le tira pour l'amener à l'intérieur. Elle avait le pelage mouillé et la même odeur que quand elle était en vie. Puis, lentement, il la recouvrit.

Lorsqu'il eut terminé et qu'il y eut un petit monticule là où plus tôt il y avait eu un trou, il se retourna et jeta un œil vers le camping-car. Il vit sa femme assise à la place du passager qui regardait par le pare-brise. Il ne savait pas si c'était lui qu'elle regardait, ou la mer ou autre chose. Il se retourna vers la mer. La pluie continuait à arriver en rideaux successifs, sans relâche.

Il se releva et chassa les grains de sable mouillés de ses vêtements, ses jambes et ses bras nus, puis il retourna au parking. Une fois installé sur le siège du conducteur, il dit à sa femme : "C'est terminé, maintenant. Je ne veux plus en entendre parler. D'accord ?" Il tourna la clé de contact et mit le moteur en marche. Les balais d'essuie-glaces commencèrent leurs allées et venues comme des baguettes magiques.

"D'accord", dit-elle.

Il fit marche arrière puis demi-tour pour diriger le camping-car vers la route. "Tu as faim ?" demanda-t-il à Alice.

Elle parla lentement, comme si elle s'adressait à elle-même. "Il paraît qu'il y a un bon restaurant de fruits de mer à quelques kilomètres au sud. C'est en direction de Kitty Hawk. Donc ça serait bien."

Il embraya et sortit du parking pour prendre la route vers le sud. "Très bien, dit-il. Dommage que nous soyons obligés de voir Kitty Hawk sous la pluie. Je me faisais un plaisir d'y aller. Bon, à cause des frères Wright et tout ça.

— Je sais", dit-elle.

L'encombrant véhicule lançait des éclaboussures sur la route à double sens toute droite où aucune voiture ne passait. Tout le monde semblait être resté à l'intérieur, aujourd'hui, à la maison.

Ed dit : "On pourrait continuer, tu sais. Aller au cap Canaveral, voir le centre spatial et tout ça."

Elle dit : "Il me semblait qu'on avait arrêté le programme spatial.

— Oui, c'est bien possible."

PERDU, TROUVÉ

Il l'a déjà vue dans une autre salle pleine de monde mais n'arrive plus à se rappeler où ni quand. Une jolie brune au front large et aux pommettes hautes – type Europe de l'Est, suppose-t-il. Un peu trop en chair, peut-être, à cause de la boisson et du manque d'exercice. La quarantaine, et quelques indices d'usure mineurs : il y a du gris dans ses cheveux ultracourts, coupés à la garçonne façon jeune fille, et elle les colorerait volontiers si elle ne se trouvait pas trop jeune pour passer à la teinture. Elle porte un tailleur-pantalon noir pour cacher la brioche autour de sa taille, et des chaussures rouges qu'on appelle des escarpins, croit-il.

Il la jauge du regard tandis qu'elle se faufile entre des inconnus ; elle ne se dirige pas vraiment en ligne droite vers le coin de la grande salle de bal où il se trouve, mais elle ne s'arrête pas non plus pour humer les roses. Il aime bien lire les gens de loin – c'est l'expression qu'il emploie, "lire les gens". Lecture rapide. Elle tente de dissimuler ses intentions ; les brefs coups d'œil qu'elle lui jette semblent le toucher par hasard, et elle détourne aussitôt les yeux, comme si ce n'était pas lui qu'elle cherchait mais un type à sa droite ou à sa gauche, un de ces gars exubérants qui, un verre d'alcool à la main, beuglent pour s'impressionner les uns les autres et tentent d'éblouir par leur intelligence, leur esprit et le montant de leur prime annuelle, les rares femmes proches d'eux.

Comme lui, ce sont des directeurs commerciaux d'entreprises de fournitures de plomberie et de chauffage, marchands en gros et en détail venus de tout le pays. Pour la plupart, il s'agit d'hommes mûrs ou vieillissants dont les femmes sont restées à la maison. Il y a aussi, bien entendu, quelques épouses, des femmes dans la cinquantaine ou la soixantaine, corpulentes, habillées de couleurs pastel, qui surveillent en silence, depuis la table où elles sont assises, la quantité d'alcool ingérée par leur mari tout en gardant un œil méfiant sur les quelques représentantes qui sillonnent la salle à la recherche de nouveaux clients. Il se peut que cette femme en soit une, oui, une commerciale avec laquelle il a flirté lors d'un autre congrès de janvier dans une ville ensoleillée du Sud. Elle a dû trouver la chose suffisamment agréable pour vouloir lui donner une deuxième chance de remplir une commande. Quand le représentant est une femme, la transaction porte en général sur des appareils de cuisine, des éviers ou des équipements de salle de bains de luxe. Il est sûr qu'il se souviendrait d'elle s'il avait signé la première fois qu'il l'avait vue.

Elle esquisse un demi-sourire et laisse sa main gauche flotter vers celle de l'homme. Un maquillage un peu trop épais, de grands yeux verts, du mascara qui coule à cause de lentilles de contact qu'elle ne met que lorsqu'elle est de sortie. Le vernis à ongles est assorti aux escarpins rouges. Pas d'alliance, remarque-t-il. Divorcée depuis peu ? Elle lui dit : "Bonjour, Stanley."

Il lui prend la main et la garde une demi-seconde de plus qu'il ne le ferait pour une inconnue. "Oh, bonjour! Ravi de vous voir." Il n'a pas dit "revoir". Il n'est pas encore absolument certain qu'ils se soient déjà rencontrés. Elle connaît son nom, mais ça ne signifie pas grand-chose étant donné qu'il est affiché sur le revers de sa veste. Il jette un coup d'œil sur les seins de la femme, à la recherche d'un badge portant son nom, mais il n'y en a pas. Il ne doit pas s'agir d'une représentante. Et ce n'est manifestement pas une travailleuse du sexe. Pas assez amicale pour ça.

"Vous ne me reconnaissez pas, n'est-ce pas, Stanley?

— Ce serait plus facile si vous portiez votre nom sur la poitrine comme nous tous ici." Il lui lance le grand sourire dont il se sert parfois pour changer de sujet.

"Je travaille pour cet hôtel. Vous vous souvenez? La coordinatrice événementiel?

— Mais oui! La coordinatrice événementiel." C'était donc ici, à Miami, au Marriott. Ça devait remonter à cinq ans, à la dernière fois que l'Association nationale des fournisseurs en plomberie a organisé sa réunion annuelle ici. Ensuite, il y a eu Phoenix, La Nouvelle-Orléans, Atlanta, Memphis. Il a donc fait la connaissance de cette femme dans cette même salle de bal. Il y a cinq ans.

Son prénom, c'est Ellen – ça lui revient dans un flash, mais pas son nom de famille. Et pas grand-chose d'autre, même s'il sent une chaleur lui monter au visage comme s'il était gêné. Il ne sait pas si sa gêne provient de ne pas l'avoir reconnue tout de suite ou de quelque chose qui s'est passé entre eux, quelque chose de dit ou de pas dit, de fait ou de pas fait, qu'il ne parvient pas à bien se remettre en mémoire – comme son nom de famille – si elle ne l'aide pas. Il est certain qu'elle se souvient de tout, sa façon de le regarder en face le lui dit, et il craint qu'elle ne s'attende à ce qu'il se souvienne lui aussi de tout, ou du moins, qu'elle s'y soit attendue jusqu'à cet instant.

Elle paraît légèrement amusée par sa gêne. Indulgente.

Il articule son prénom, "Ellen", comme si, depuis qu'il était descendu d'avion cet après-midi, il n'avait attendu qu'une chose, pouvoir le prononcer. "Vous êtes splendide", lance-t-il, et il ne plaisante pas. De près, elle a en effet l'air splendide, intelligente, énergique et de bonne humeur, sans être une de ces effrayantes femmes survoltées qui vivent en permanence sur une scène. C'est une personne qui maintient une tension intéressante entre une grande vivacité et un contrôle de soi. Le genre de femme qui l'a toujours attiré. Comme celle qu'il a épousée.

C'est alors qu'il se souvient. Tard, le dernier soir du congrès, ils avaient fini dans sa chambre à lui, tous deux un peu éméchés. Comment a-t-il pu oublier ? C'est le genre de chose qu'il n'a pas faite plus d'une ou deux fois dans toute sa vie d'homme marié. D'ailleurs, maintenant qu'il se le rappelle, la première fois qu'il s'est retrouvé dans une chambre d'hôtel seul avec une femme qui n'était pas son épouse, c'était il y a presque douze ans, et cette femme, quelques mois plus tard, est devenue sa seconde épouse et ensuite la mère de ses trois enfants. Raison de plus pour lui de reconnaître Ellen d'emblée : il aurait même dû prévoir qu'il la reverrait ici. Et se réjouir par avance de la retrouver, ou le craindre. Il n'en sait trop rien. Il est certain de ne pas avoir couché avec elle.

La première fois qu'ils se sont rencontrés, c'était à la table d'enregistrement dans le hall. Il a donné son nom de famille, et sans lever les yeux elle lui a tendu une chemise de documents accompagnée du badge en plastique portant son nom. Puis elle a jeté un coup d'œil vers lui et lui a souri brièvement comme si elle était étonnée par sa belle allure. Il se sait beau d'une manière conventionnelle. Pas du calibre d'un mannequin masculin ou d'un acteur de cinéma, mais beau pour un fournisseur d'articles de chauffage et de plomberie.

"Si vous avez des questions ou si avez besoin de quoi que ce soit, n'hésitez pas à m'appeler", a-t-elle dit. Fouillant dans son sac, elle en a sorti sa carte de visite et la lui a donnée. Tenant la carte dans ses deux mains, il l'a lue, a rendu son sourire à la femme et l'a remerciée en prenant soin de dire son prénom. Sacrément attirante, cette femme. Et sympa, en plus.

Ensuite, ils n'ont pas arrêté de tomber l'un sur l'autre dans l'hôtel, d'abord par hasard dans le hall, ensuite dans l'ascenseur et encore dans la boutique de l'hôtel où il était allé acheter du dentifrice et elle un paquet de cigarettes ; et puis le soir au dîner dans la grande salle, pas du tout par hasard, ils se sont assis côte à côte comme s'ils ne l'avaient pas fait exprès. Ils ont fui les discours clôturant le repas, s'esquivant vers le bar de l'hôtel "pour un dernier verre" qui a duré jusqu'à minuit. Ils se sont retrouvés au petit-déjeuner le lendemain, et ils ont aussi déjeuné ensemble à la terrasse d'un café au bord de la baie. Ils ont parlé à voix basse, leurs têtes se touchant presque.

De plus en plus vite, ils en sont arrivés à des conversations personnelles, presque intimes, et il a considéré Ellen comme sa seule amie dans ce congrès même s'il connaissait assez bien des dizaines d'autres directeurs présents. Il a parlé de sa femme, Sharon, et de ses gosses, et il a décrit son existence à Saratoga Springs en prenant soin de ne pas se plaindre mais en rendant évidente une vague insatisfaction. "C'est une bonne ville pour élever des enfants. Pour avoir une maison à niveaux décalés avec un garage pour deux voitures, faire des courses dans des centres commerciaux et diriger une société de fournitures de plomberie."

Elle a compris. "On se sent un peu seul, a-t-elle dit.

— Ouais, bon. On peut se sentir seul n'importe où, je suppose. Même dans une foule comme ici.

— Peut-être surtout dans une foule. Les foules peuvent te pincer le cœur quand tu es seule au monde. Comme moi."

Cette expression lui a plu : *te pincer le cœur*. Pas le genre de chose que dirait Sharon. "Allez, tu n'es pas vraiment seule au monde. Une belle femme indépendante financièrement, dans une ville aussi exotique que Miami, et cetera.

— Pas mariée, pas d'enfants, pas de famille proche dans le coin, et cetera. Pas de vrai petit ami. Rien qu'un chat du nom de Spooky pour m'accueillir quand je rentre du travail. Ça veut dire être seule au monde, Stanley.

— Et ça ne te pèse pas, la solitude ?"

Elle a haussé les épaules : "Pas plus qu'à toi, je pense. Avec ta femme, tes gosses et ton monospace.

— Peut-être bien."

Elle est vite devenue la seule personne du congrès avec laquelle il avait envie de parler, de boire et de se glisser sur la terrasse pour échapper à la foule et, là, fumer des cigarettes – la même marque, il s'en souvient, des American Spirit dont elle disait en plaisantant qu'elles font du bien parce que c'est du tabac bio. Ils essayaient tous les deux d'arrêter. Sans le dire, ils se sentaient plus malins et plus sexy, surtout quand ils étaient ensemble, que les gens autour d'eux. Chaque fois qu'ils parlaient des congressistes et de leurs femmes, ils avaient un ton ironique et légèrement condescendant, mais sans méchanceté. Aucun des deux ne prenait au sérieux le congrès ou l'industrie des fournitures de plomberie et de chauffage.

Quelle que fût la salle dans laquelle ils se trouvaient, Ellen était pour lui sans conteste la femme la plus désirable de la pièce. Et quand il promenait son regard sur ses collègues qui, pour la plupart, étaient de gros rougeauds mal habillés et bruyants, il se disait qu'il était l'homme le plus désirable de la salle. En tout cas pour Ellen. La concurrence n'était cependant pas des plus rudes.

Il avait appris qu'Ellen avait trente-quatre ans, donc quinze ans de moins que lui, qu'elle était divorcée et que ses parents vivaient à Charlotte, en Caroline du Nord, où elle avait grandi. Elle était venue à Miami pour étudier le marketing à la Florida International University. La semaine après avoir obtenu son diplôme, elle avait fugué avec un homme de dix ans son aîné, son professeur de statistiques. "Ça a duré quatre ans. Par chance, il n'y a pas eu d'enfants. Il s'est avéré que le professeur ne pouvait toujours pas se passer de coucher avec ses élèves. Garçons comme filles, a-t-elle ajouté.

— Bizarre.

— Quoi, qu'il couche avec ses élèves, ou qu'il soit des deux bords?

— Les deux bords, je suppose.

— Pas si bizarre que ça. Tu serais étonné de voir combien de beaux enseignants de fac vont d'un côté comme de l'autre. C'est pas une affaire de sexe. Le sexe leur fait peur. Ils veulent des enfants de chœur. Mais peut-être que c'est seulement Miami, a-t-elle ajouté en riant.

— Miami est une ville plutôt sexy.

— Ça, c'est du marketing pour les gens du Nord, Stanley. Ne t'y laisse pas prendre. Miami n'est pas plus sexy que Saratoga Springs dans l'État de New York."

Au tour de Stanley de rire. "Ouais, tout juste."

Le dernier soir du congrès, ils se sont esquivés pendant la fête de clôture et, traversant le hall, sont sortis griller une cigarette. Il se rappelle l'odeur humide du Gulf Stream dans la brise tiède venant du large. Deux ou trois palmiers cliquetaient sous le vent. Le chauffeur d'un taxi qui attendait en tête de file leur a fait un appel de phares.

"Tu veux aller quelque part? a demandé Stanley.

— Non."

D'un geste de la main, il a répondu non au chauffeur. "Où est-ce que tu habites?

— Aux Gables. Coral Gables. C'est assez loin.

— Tu veux venir dans ma chambre et piller le minibar pour un dernier verre avant d'aller se coucher?"

Elle a regardé d'abord au loin, ensuite ses pieds, puis s'est tournée pour écraser sa cigarette dans le cendrier sur colonne dressé contre la porte, et elle a dit : "Bien sûr."

Quand ils se sont retournés pour rentrer dans l'hôtel, cinq des collègues de Stanley, tous des hommes, sont sortis par la porte à tambour en verre en se bousculant. Prenant Ellen par le coude, Stanley l'a guidée pour les contourner. Il en connaissait vaguement un, un costaud d'une cinquantaine d'années, prénommé Bernie, qui était fournisseur à Syracuse.

"Hé, Stan, viens avec nous! a lancé Bernie. On va à la plage faire un peu de tourisme. À South Beach, mon vieux! La nuit ne fait que commencer!

— Merci, mais non, Bernie. J'ai un vol très tôt demain matin." Il a poussé la porte à tambour, Ellen est passée et il l'a suivie.

Bernie s'est fendu d'un rire en disant : "Ouais, bien sûr."

La chambre de Stanley était au vingt-septième étage et une fenêtre panoramique, du sol au plafond, offrait une vue sur la baie de Biscayne et le port où les bateaux de croisière rangés comme de pâles dirigeables attendaient que leurs passagers arrivent du Nord, et puis, au-delà de la baie, sur les lumières miroitantes et les néons clignotants de South Beach. À l'est des tours d'habitation, des hôtels et des clubs de South Beach, sous les filaments de nuages teintés de rose par les lumières venant d'en bas, il pouvait voir l'océan Atlantique, long bras obscur constellé d'éclats de lune.

Ouvrant le minibar, il a pris une demi-bouteille de chardonnay de Californie non ouverte, en a dévissé le capuchon métallique et versé le vin dans deux verres. Il a fait le compte de ce qu'il avait déjà bu ce soir-là. Deux whiskies à la réception et quatre verres de vin au dîner de fin de congrès. Il ne se sentait pas ivre mais savait qu'il l'était sans doute.

"C'est sympa de se réveiller devant une si belle vue", a dit Ellen. Elle s'est assise sur le lit, et, les yeux rivés sur le panorama, elle s'est penchée, a défait la bride de ses chaussures sans les regarder puis les a dégagées d'un mouvement des pieds. Stanley s'est avancé vers elle, a posé le verre qu'il lui destinait sur la table de nuit et s'est replacé devant la fenêtre, tourné vers la mer et observant le reflet d'Ellen dans la vitre. Il se rappelle qu'elle portait une robe noire sans manches toute simple et un collier de pierres semi-précieuses, brutes et lourdes, sur un cordon de cuir. Elle avait de superbes jambes minces. Elle a ôté ses créoles et les a posées sur la table de nuit à côté du verre. Elle a bu une petite gorgée de vin.

"Tu vas juste rester là debout?

— Je sais pas."

Après un instant de silence, elle a dit : "Tu ne sais pas."

Elle s'est penchée, a remis ses chaussures et attaché les fines brides. Il avait voulu cette situation, il l'avait créée avec l'aide d'Ellen, bien sûr, mais il aurait pu tout arrêter n'importe quand, se contenter de flirter un week-end, de savourer l'attention que lui portait une jolie jeune femme, peut-être même s'octroyer le plaisir d'un fantasme érotique ou deux, le tout sans danger, et puis prendre son vol de bonne heure le dimanche matin, la conscience tranquille, sans complications sentimentales secrètes. Au lieu de quoi il avait laissé chaque pas mener au suivant sur un chemin sinueux dont il savait depuis le début qu'il aboutirait à ce moment. Elle a remis ses boucles d'oreilles et s'est levée.

Se sentait-il vraiment aussi seul qu'il l'avait fait croire à Ellen? Si son mariage ne le faisait pas exactement souffrir, il le trouvait ennuyeux et se sentait invisible dans cette vie conjugale, comme un vieux meuble qu'on ne peut pas déplacer ou remplacer sans chambouler tout le reste de la pièce et que, du coup, on laisse là où il est en ne tenant plus compte de lui. Ça n'avait pas à voir avec son âge, se dit-il pour se rassurer, pas avec ce qu'on appelle la crise de fin de quarantaine ou de début de cinquantaine. Il était jeune pour son âge. Surtout à ce moment-là, cinq ans plus tôt. Il n'avait aucun désir d'échanger son petit monospace contre une Porsche rouge, de s'abonner à un club de gym et d'abandonner ses boxer-shorts Hanes pour mettre des slips taille basse Calvin Klein. Et ce n'était pas juste une jolie jeune femme de plus qu'il avait courtisée – sans la séduire activement, cependant – pendant tout ce week-end, comme s'il cherchait à se prouver qu'il était désirable et à le prouver aussi à d'autres gars du genre de Bernie. Ce n'était pas une histoire de vanité masculine. C'était Ellen elle-même qui l'avait touché : une femme très particulière, avec sa voix grave de fumeuse, ses yeux verts, son humour à froid, ses paroles intelligentes et intéressantes, et puis, en effet, ses jambes minces. Il y avait tout cela et aussi le sentiment de lui-même qu'elle lui donnait.

Elle était en colère, il s'en souvient à présent. C'est sans doute pourquoi il a voulu oublier ce soir-là, pourquoi il a vraiment réussi à l'évacuer en même temps que le sentiment de lui-même qu'Ellen lui avait procuré, jusqu'à ce qu'elle soit de nouveau ici, certes âgée de cinq ans de plus, mais encore elle-même, encore cette femme très particulière qui l'avait rendu visible à lui-même. Et, avec elle, il s'était vu drôle, intelligent, beau, et en proie à la solitude. Ce sentiment de lui-même, il l'avait très progressivement perdu pendant ses années de mariage à mesure qu'il approchait de la cinquantaine, et comme cette perte ne s'était effectuée que de manière infinitésimale, il n'en avait même pas été conscient avant le soir où ils s'étaient retrouvés tous les deux dans sa chambre de l'hôtel Marriott. Il l'avait perdu, et, grâce à Ellen, trouvé. Et puis soudain perdu de nouveau. Jusqu'à maintenant.

"Pas de problème, Stanley. Vous n'êtes pas obligé de faire semblant. Je sais que vous ne m'avez pas reconnue tout de suite. Et peut-être vous ne me reconnaissez toujours pas. Je sais que vous ne vous souvenez pas.

— La vérité, c'est que je ne voulais pas me souvenir. De moi, je veux dire. Pas de vous.

— Pourquoi? Vous n'avez rien fait de mal. Vous avez failli le faire. Mais vous ne l'avez pas fait.

— C'est peut-être à cause de ça. Je ne voulais pas me souvenir de ce que j'ai perdu ce soir-là. Et de ce que j'ai trouvé. J'ai voulu oublier ça aussi."

Elle a un petit rire dur et recule d'un pas. "J'aimerais bien vous croire. Que croyez-vous avoir trouvé et voulu oublier, Stanley? Pas le grand amour, c'est certain.

— Non. Quelque chose d'autre." Il est sur le point de lui dire de laisser tomber – cette chose, quelle qu'elle soit, ne peut être décrite. En tout cas pas par lui. Mais, au lieu de ça, il s'entend dire : "J'ai eu le cœur pincé. Je le sentais battre, et pour la première fois depuis des années, peut-être de toute ma vie, j'ai su que j'étais vivant.

— Et ça vous a fait peur.

— C'est quelque chose comme : si on sait qu'on est vivant, on sait qu'on va mourir.

— Alors vous avez décidé d'oublier que vous étiez vivant.

— Oui.

— Ce qui revient à mourir avant votre heure.

— Oui, c'est ça."

Il se rappelle qu'elle était debout près du lit, à moitié tournée vers la porte, prête à sortir de sa chambre. Il est allé jusqu'à elle, l'a entourée de ses bras et l'a doucement embrassée sur les lèvres. Elle a gardé la bouche fermée, les lèvres serrées, et, après quelques secondes, s'est dégagée de son étreinte.

Il a dit : "Je suis désolé."

Elle a dit : "Faut pas. Tu n'as rien fait."

Il a dit : "C'est pour ça que je suis désolé.

— Au revoir, Stanley."

Il s'est retourné vers la fenêtre assombrie et il a regardé le reflet d'Ellen traverser la chambre, ouvrir la porte et s'en aller. La porte s'est refermée doucement derrière elle.

Elle dit : "Eh bien, j'ai été contente de vous revoir. Vous n'avez pas changé, Stanley."

Il dit : "Si, j'ai changé."

Elle dit : "Au revoir, Stanley", et se fraye de nouveau un chemin à travers la grande salle pleine de monde en direction de la sortie.

À LA RECHERCHE
DE VERONICA

Voici ce qu'elle m'a raconté. C'est venu pratiquement sans préambule. Il se trouvait que j'étais assis près d'elle au comptoir de Gustav's, un pub et gril de style allemand à l'aéroport international de Portland, entre les portes 7 et 9 du terminal C. Je devais attendre la fin de la nuit pour prendre un vol pour Minneapolis retardé par la tempête. Je crois qu'elle était déjà là quand je suis entré, mais peut-être pas. Je me souviens qu'à part nous le bar était vide. La télé – une chaîne locale – était allumée sur les infos et la météo, mais sans le son.

Nous n'avions même pas encore échangé nos prénoms quand elle a commencé son histoire. Il se peut que j'aie souri et dit bonjour ou quelque chose de neutre pour lancer une conversation en montrant que je n'allais pas la draguer, comme on le fait quand on est un voyageur de sexe masculin et qu'on se met à parler à une femme dans un bar. Elle avait la cinquantaine usée, mais c'était une femme foncièrement belle avec un sourire sympathique, quelqu'un qui avait vu bien des choses et qui pouvait être, me semblait-il, une serveuse d'un des restaurants de l'aéroport venant juste de terminer son travail. Pas une voyageuse. Il s'est avéré que j'avais raison, et

195

qu'elle travaillait dans un Wendy's. En tout cas, c'est ce qu'elle m'a dit.

Comme si nous étions de vieux amis, elle a déclaré : "Chaque fois que la télé annonce qu'on a trouvé le corps d'une femme non identifiée dans les buissons au bord du fleuve, je me demande si cette femme n'est pas mon amie Veronica. Et si je suis en ville, je regarde dans les ruelles en passant, dans l'espoir de l'y voir vivante. Vous devez trouver ça bizarre."

J'ai répondu que non. Mais ça me semblait en effet bizarre. Pas le contenu de ses paroles, mais le fait qu'elle raconte ce genre de chose à un inconnu. Ça et sa façon de le raconter.

Elle m'a dit : "Parfois, le lendemain, je prends même le bus pour aller à la morgue municipale avec l'idée d'identifier le corps, parce que, après toutes ces années, je suis encore capable de visualiser les tatouages et les piercings de Veronica."

Je lui ai demandé qui était Veronica.

Elle a dit : "C'était pendant l'été de mes trente ans, deux mois après que Carl nous a larguées. Helene avait sept ans, bientôt huit.

— Helene est donc votre fille ?

— Ouais. Je galérais rien que pour survivre et m'occuper d'elle, donc je me suis dit tant pis et j'ai cédé la chambre à l'arrière de notre appart, la pièce qu'on avait utilisée pour les chats, et je l'ai cédée à cette fille-là, Veronica. Elle était restée pour la nuit après ma fête d'anniversaire ; elle essayait de rompre avec son crétin de mec, un biker, et de se sortir de la drogue. On a déplacé les chats et leur caisse à litière dans la véranda grillagée donnant sur la petite rue de derrière."

Elle a poursuivi : "Je crois que Veronica et son petit ami étaient dans la méthamphétamine jusqu'au cou. C'était pas juste qu'ils en prenaient, mais ils en fabriquaient dans une caravane à la sortie de la ville, et ils en vendaient, en tout cas son mec en vendait. Il s'appelait Rudy, je m'en souviens encore aujourd'hui, ce qui fait, combien, presque vingt ans plus tard, parce que quand elle parlait il n'était question que de lui, Rudy, Rudy, Rudy. Elle me rendait dingue tellement elle était fixée sur ce mec qui, pour moi, n'était qu'un connard de biker qui aimait se défoncer et marquer sa virilité en cognant régulièrement sur la gueule de sa copine pour la faire pleurer et l'entendre dire : Arrête, Rudy, s'il te plaît, arrête! Vous voyez le genre."

Je voyais en effet, lui ai-je dit, mais elle a continué à parler comme si je n'avais rien dit. Ce n'était pas exactement comme si elle était seule, mais plutôt comme si moi, qui étais assis près d'elle au comptoir du Gustav's, je n'étais pas tout à fait réel. Comme si elle racontait son histoire à la caméra d'une émission de téléréalité et en avait déjà livré une version à maintes reprises. Ça m'était égal : je ne faisais que tuer le temps en essayant de ne pas me laisser déprimer par le retard de mon vol, et cette femme avait un visage sympathique et une belle voix marquée par le whisky et les cigarettes.

Elle m'a dit : "À cette époque, j'avais un travail valable dans une agence de voyages. Portland multipliait les liens avec l'Orient, et tous les gus du genre techno-yuppies pressés de réussir prenaient des week-ends à Tokyo et à Hong Kong qu'ils déduisaient de leurs impôts, et donc même si j'avais été salement larguée par Carl qui s'était tiré à Hawaii avec la fille qui lui détartrait les dents, je me débrouillais, pas besoin de bons alimentaires ni d'aumônes, sauf qu'il me fallait bosser de neuf heures du matin à cinq heures de l'après-midi six jours sur sept et que j'avais besoin de quelqu'un pour s'occuper d'Helene quand elle rentrait à la maison après l'école. Et c'est là que Veronica entre en scène."

Je n'ai rien dit et j'ai jeté un coup d'œil à la télé pour voir la météo. Les tempêtes du Midwest se déplaçaient vers l'est. La femme a bu une petite gorgée, puis elle a foncé de nouveau. Comme je l'ai remarqué, elle avait un bon sens du rythme.

Elle a dit : "Veronica était une fille de grande taille, en tout cas plus grande que moi, avec un tas de piercings sur le visage et à d'autres endroits que je devinais mais que je ne voulais pas connaître, et elle avait aussi des tatouages faits maison à peu près partout où l'on posait les yeux. Elle était si maigre qu'on voyait sa colonne vertébrale à travers son tee-shirt, comme si elle avait souffert d'un trouble de l'alimentation, d'anorexie, de boulimie ou un truc comme ça, sauf que ça venait sans doute de la méthamphétamine et de tous les autres produits chimiques dont elle se bourrait à cette époque, parce que plus tard j'ai découvert qu'elle avait réellement un solide appétit. Je n'étais pas tellement plus âgée que Veronica – elle avait dix-neuf ou vingt ans, il me semble, alors d'accord, oui, ça fait dix ans de différence – mais tout de suite j'ai senti quelque chose de maternel pour elle. Peut-être à cause d'Helene dont je craignais qu'elle ne devienne comme Veronica si elle ne m'avait pas eue pour mère.

"Elle est arrivée dans l'ombre de Rudy qui était venu à ma fête avec les trois frères bikers du rez-de-chaussée.

Et eux, ils étaient venus parce qu'il était impossible, dans cet immeuble, de faire la moindre fête sans que ces mecs-là viennent renifler à la porte, leur pack de six bières à la main. Aucune de mes amies femmes, surtout les célibataires, ne s'y opposait parce que les frères étaient jeunes et très beaux, ils faisaient de la musculation et on pouvait sortir avec l'un d'entre eux si on voulait. C'était le genre de chose qu'on faisait, à l'époque. On était encore jeunes. On les appelait Riri, Fifi et Loulou. Je me rappelle plus leur vrai nom, maintenant. Ils avaient un emploi et ils étaient fondamentalement inoffensifs bien que pas très malins, et ils avaient toujours de la bonne herbe. Mais de temps à autre ils venaient avec un ou deux de leurs potes déjantés, du genre Rudy, qui se tapaient des trucs chimiques ou du crack, voire les deux, et qui étaient toujours à la limite de péter les plombs, ce qui rendait tout le monde nerveux. Le lendemain, un des frères montait pour s'excuser, ce que j'appréciais assez, surtout après le départ de Carl.

"En tout cas, Veronica n'était pas sur le point de péter les plombs. Elle avait simplement l'air triste, avec des valises sombres sous les yeux comme si elle ne dormait plus depuis une semaine, des cheveux coupés court n'importe comment, teints en noir et qui avaient besoin d'un bon shampoing, une poitrine plate avec des petites pointes de sein qui tendaient un peu l'avant de son tee-shirt sale, un jean bien déchiré exprès sous l'entrejambe et aux genoux comme pour s'afficher à la mode."

J'ai avalé ce qui restait dans mon verre et demandé qu'on nous resserve la même chose. "C'est une bonne histoire que vous racontez là", ai-je dit à la femme, et nous avons trinqué.

Elle a dit : "Ouais, bon, Veronica est morte, maintenant. Ou du moins j'en suis à peu près sûre. Mais elle l'est peut-être pas. Ça remonte à vingt ans. À ce moment-là, je me disais que si quelqu'un ne s'occupait pas d'elle rapidement, elle ne passerait pas l'été. Ce que je veux dire, c'est qu'elle croyait que Rudy s'occupait d'elle. On était au début des années quatre-vingt-dix, faut pas l'oublier. Dans tout le pays, des ados se tiraient de chez eux, ou bien on les mettait dehors, et personne ne savait comment arrêter ça. Les gens n'en étaient plus à faire des expériences avec la drogue comme dans les années soixante, ils se gavaient de drogue! Ce n'était plus pour s'amuser. Ces gosses, ceux qui ont survécu aux années quatre-vingt-dix, sont eux-mêmes des parents, maintenant, ils ont des enfants, certains des petits-enfants – et qu'est-ce que ça nous apprend? Que tout ce qu'ils connaissent de la réalité, c'est ce que leurs parents ont trouvé le temps de leur enseigner. Et nous, qu'est-ce qu'on savait, nous?

— Pas grand-chose, j'ai dit.

— Pas grand-chose de bon. C'était l'époque où des shérifs de comté et des procureurs fédéraux faisaient des descentes dans les crèches et les maternelles accusées de pédophilie, de rituels sataniques bizarres et de pornographie enfantine. Vous vous en souvenez?"

Je lui ai répondu que je croyais que c'était plutôt dans les années quatre-vingt.

Elle a dit : "Ça se passait aussi dans les années quatre-vingt-dix. On savait plus ce qu'il fallait croire. Les gens n'avaient pas les idées claires. J'étais contente qu'Helene ne soit qu'une petite fille à cette époque, même si ça a pas mal bousillé mon temps libre, si vous voyez ce que je veux dire. Parce qu'elle était tellement dépendante, vous savez."

J'ai dit que je comprenais. "J'ai quatre enfants et j'ai aidé à les élever. Tous adultes, à présent."

Elle m'a dit : "Quoi qu'il en soit, à ma fête d'anniversaire, Rudy a disjoncté et s'est mis à lancer un par un tous mes bons couteaux à steak – un ensemble qu'on m'avait offert pour mon mariage – contre la porte entre la cuisine et le séjour, et quand j'ai râlé il a posé les trois ou quatre couteaux qui restaient et il a sorti un gros schlass qu'il avait dans une gaine fixée à sa ceinture, et il l'a lancé si fort que la lame s'est enfoncée de quinze centimètres à travers la porte. Grand silence de tout le monde. Helene se cache derrière ma jupe et se met à pleurer.

"Heureusement, Riri, Loulou et Fifi ont maîtrisé Rudy et l'ont viré de l'appart avec son couteau de chasse, laissant là Veronica en train de planer sur le divan. Elle avait raté le spectacle, mais c'en était un qu'elle avait dû sans doute voir pas mal de fois. Ensuite, comme on avait la trouille que Rudy revienne, tout le monde s'est cassé. Donc il ne restait plus que moi, Helene et Veronica dans l'appartement. Putain de joyeux anniversaire ! On n'est jamais arrivés jusqu'au gâteau.

"J'ai fermé la porte à double tour, jeté une couverture sur Veronica, mis Helene au lit et je suis allée me coucher moi aussi. Mais Helene avait encore peur et voulait dormir dans mon lit, et je l'ai laissée faire. Rudy n'est revenu chercher Veronica que trois jours plus tard, comme s'il avait oublié l'endroit où il l'avait laissée. À ce moment-là, je m'étais déjà un peu insinuée dans sa tête, à moins que le soir de ma fête elle ne soit déjà arrivée préparée à larguer

Rudy et la drogue et qu'elle n'ait eu besoin que de quelques encouragements d'un tiers, pour ainsi dire, de la part de quelqu'un qui lui servirait de modèle, d'une femme indépendante et plus âgée, capable de se débrouiller et de s'occuper de sa fille de sept ans.

— De quelqu'un comme vous, j'ai dit. Vous et Helene.

— Ouais, comme moi. Moi et Helene. Dans la chambre du fond, il y avait déjà un matelas sur le plancher. J'ai ajouté le vieux sac de couchage de Carl et une lampe, j'ai tendu un drap sur la fenêtre pour qu'elle ait son intimité. Je lui ai donné quelques-uns de mes vieux tee-shirts et de mes jeans – ils avaient les jambes nettement trop courtes, mais Veronica a dit qu'elle aimait bien le look cycliste. Une fois reposée, elle a été très polie. Simplement, elle était pas bavarde.

"Apparemment, Veronica ne possédait rien, et elle n'avait pas d'argent. Par certains côtés, elle était comme une gamine. J'ai dû lui acheter une brosse à dents et la laisser m'emprunter mon shampoing et mes autres produits d'hygiène, et je lui ai dit qu'elle pouvait manger tout ce qu'elle voulait dans le frigo et les placards, ce que j'ai en partie regretté une fois qu'elle s'y est mise parce qu'on aurait dit un chien qui a toujours vécu dans la rue, comme si elle croyait qu'elle n'aurait jamais plus de repas décent. Le dimanche suivant, même pas deux jours après son arrivée, j'ai dû racheter pratiquement de tout, même les petites briques de jus de fruits et les chips au fromage que je gardais pour Helene qui les grignotait en regardant la télé.

"Au petit-déjeuner du lundi qui a suivi la fête, on a eu notre petite discussion. J'ai demandé à Veronica si elle voulait bien aller avec Helene à pied jusqu'à l'école parce que je devais arriver de bonne heure à l'agence pour me former à un nouveau logiciel de réservation de billets d'avion. À cette époque, les ordinateurs étaient nouveaux dans l'industrie du voyage, et tout le monde en avait peur, surtout moi parce qu'en classe j'avais toujours été nulle en maths. Mon point fort, c'est la relation avec les gens.

"Veronica me répond : « Bien sûr, ça ou autre chose », ce qui était à cette époque ce qu'on pourrait appeler sa réponse par défaut à toute question qu'on lui posait, mais elle le disait si gentiment et avec un tel sourire que c'était pas gênant.

"Je lui ai dit : « Voilà ce que je propose. Tu as besoin d'un endroit pour te retaper. Et moi j'ai besoin d'une baby-sitter. » Celle que j'avais venait de partir : elle était allée travailler pour une divorcée qui enseignait à Reed College et lui offrait le double de ce que je pouvais lui donner. J'avais l'autorisation d'emmener Helene à l'agence le samedi ; donc, si Veronica pouvait aller la chercher à l'école tous les jours de semaine, la ramener à la maison et rester avec elle jusqu'à ce que je rentre du travail, elle pouvait garder la chambre du fond. En plus, je lui donnerais cinq dollars de l'heure pour vingt heures de baby-sitting par semaine, ce qui lui ferait cent dollars par semaine. C'était difficile pour moi, mais j'avais un peu d'argent de côté et on me donnerait une augmentation une fois que j'aurais assimilé le nouveau logiciel.

"Mais pas de Rudy, je lui ai dit. Et pas de drogues. Sauf peut-être si tu as envie de fumer un peu d'herbe avec moi le soir. À toi de voir." Je savais qu'il n'aurait pas fallu que je fume dans l'appartement alors qu'elle essayait de décrocher, mais j'avais besoin de mon cannabis. En cette période qui suivait le départ de Carl, je ne voulais pas renoncer aux quelques plaisirs qui me restaient, et l'herbe en était un, c'est clair. C'en est toujours un.

"Veronica a semblé enthousiaste, et elle a dit : « Pas de problème ! » Cet accord plaisait aussi à Helene. Veronica était un peu sa nouvelle grande amie et sa copine de jeux. Pendant tout le week-end, quand Veronica n'était pas en train de dormir dans sa chambre, elle était dans le séjour, allongée par terre à côté d'Helene, et elles regardaient ensemble les émissions préférées d'Helene à la télé, même les dessins animés, comme si elles étaient des gamines du même âge. C'est peut-être une raison de plus qui me pousse à la rechercher encore après tant d'années.

— C'est possible, ai-je dit. Ça paraît sensé."

Elle a poursuivi comme si je n'avais rien dit. "Mais avec moi, Veronica ne parlait pour ainsi dire pas du tout, même quand je lui posais des questions sur Rudy, que je lui demandais si elle avait vécu longtemps avec lui et des choses comme ça. Au lieu d'utiliser des mots, elle répondait par un bourdonnement que je prenais pour un oui. Quand je lui ai demandé de quel endroit elle était originaire, elle a répondu « d'ici », ce que j'ai compris comme Portland. Quand je lui ai demandé si ses parents vivaient toujours, elle a hoché la tête pour dire oui et ajouté que sa mère était en vie mais que, pour son père, elle n'en était pas sûre, et elle a froncé les sourcils comme si ça lui faisait mal de penser à eux, et donc j'ai décidé de ne pas insister. Je me suis dit que c'était encore une de ces gamines rejetées qui, pour une raison ou une autre, sont en conflit avec leur mère, leur père ou leur beau-père, et se font virer ou bien se tirent et vivent toutes seules dès l'âge de treize ou quatorze ans. Qui sait ce qu'elle avait fait pour survivre ? La seule chose qu'elle avait comme monnaie d'échange, c'était son corps et sa jeunesse, mais avec ses piercings et ses tatouages, sans parler des drogues, elle avait déjà bien bossé pour détruire son corps, et le passage du temps était en train de faire la même chose à sa jeunesse, comme chez n'importe qui. Bientôt elle n'aurait plus rien à échanger, sinon sa fidélité à des connards dans le genre de Rudy."

J'ai dit à cette femme que je pouvais tout à fait comprendre parce que j'avais quelqu'un comme ça dans ma propre famille. Je n'ai pas dit si c'était quelqu'un dans le genre des parents qui expulsent leur enfant ou dans celui de la fille qui les largue, mais en fait c'étaient les deux.

Elle a dit : "Bon, alors vous pouvez vous imaginer comment je me suis sentie ce soir-là en rentrant à la maison quand la première chose que me raconte Helene, c'est que le mec qui avait planté un couteau dans la porte était là. « Mais il est parti, maintenant, ajoute-t-elle. Veronica lui a dit d'aller se faire enculer. »

"Je lui ai répondu que c'était parfait, mais qu'elle ne devait pas dire enculer. La cuisine était nette et propre, en fait immaculée, bien plus propre que quand je m'en occupais, la vaisselle lavée et tout rangé à sa place. Je suis entrée dans le séjour et c'était pareil. Elle avait même plié mon linge et en avait fait une pile bien nette posée sur mon lit. Elle était dans la chambre d'Helene en train de ranger la douzaine de Barbie d'Helene avec toutes leurs garde-robes et leurs accessoires.

"Je lui ai dit : « Alors, tu as dit à Rudy d'aller se faire enculer ? »

"Elle a juste souri.

"Je lui ai dit : « Bravo, ma fille ! » et j'ai cru que c'en était fini de l'ami Rudy. Mais bien sûr que non. De même, le fait qu'elle n'avait pas touché à la drogue pendant quelques semaines ne voulait pas dire qu'elle en avait fini avec ça. Mais pendant un moment, une semaine ou dix jours, même si elle parlait constamment de Rudy, c'était strictement en termes négatifs, pour lancer de but en blanc des trucs comme : « J'arrive pas à croire que je sois restée avec un taré pareil », ou bien, quand je lui ai proposé de se servir de mon téléphone si elle voulait appeler quelqu'un pour dire où elle était, elle a remarqué : « Rudy me laissait jamais appeler personne. » Je suppose qu'il n'y avait personne à qui elle avait envie de téléphoner, parce qu'à ma connaissance elle ne s'est jamais servie de ma ligne, et à cette époque les gens n'avaient pas de portables.

"À ce moment-là, il devait déjà lui paraître évident que je n'allais pas l'arnaquer ni la balancer à sa mère ou à une assistante sociale et sûrement pas aux flics, parce qu'elle me parlait plus facilement. En plus, ce n'était plus seulement Helene qu'elle cherchait du regard, mais moi aussi, chose qu'elle n'avait pas faite au départ, comme un animal qui aurait été brutalisé par des adultes dans un passé récent et ne s'attendrait qu'à subir encore le même traitement. Je m'étais déjà vraiment mise à la materner. Il y avait quelque chose d'enfantin dans sa gaucherie physique et dans son ignorance du monde, et cette chose qui d'habitude m'agace chez les gens me rendait protectrice à son égard. Et puis j'aimais sa compagnie. Les soirées dans l'appartement étaient bien moins solitaires qu'auparavant. Je m'étais habituée à ses piercings dans les sourcils, les narines, les oreilles et les lèvres, et j'avais même commencé à aimer ses tatouages, surtout la tête de lion rasta sur son épaule droite. Le serpent à sonnette autour de son poignet gauche et le World Trade Center sur le haut de son dos étaient cool, eux aussi. C'était avant le 11 Septembre, évidemment. C'était forcément quelqu'un d'autre que Veronica qui avait dessiné ce World Trade Center puisqu'il se trouvait sur son dos, mais les autres tatouages me montraient bien, puisque c'était elle qui les avait dessinés et gravés sur les endroits qu'elle pouvait atteindre, que Veronica avait un réel talent d'artiste.

"Tout le temps, comme si c'était son seul sujet de conversation, Veronica continuait à parler de Rudy, sauf que j'ai remarqué que ça devenait moins négatif. Lentement, certains mots positifs se glissaient, du genre : « Rudy est un as en mécanique, il peut réparer n'importe quelle moto et il répare même la caisse de ceux de ses copains qui en ont une. » Un soir où nous fumions un pétard de qualité vraiment inférieure, du vrai foin, voilà qu'elle dit : « Tu sais, Rudy savait faire pousser la meilleure ganja de l'Oregon, mais il ne m'a jamais montré l'endroit où il la cultivait. Il disait que c'était pour me protéger au cas où je me ferais serrer.

"– Ouais, je lui ai dit, bien sûr. Monsieur le Grand Protecteur à la con. » Manifestement, elle avait besoin d'apprendre encore plein de choses et d'avoir beaucoup plus d'assurance pour se débarrasser de ce mec. Pourtant, même si au fond de moi je savais que ce n'était pas tout à fait comme ça, je me disais que cette histoire était en train de tourner à la cure de désintox maison réussie, et je pensais déjà à une nouvelle soirée pour achever de fêter mon trentième anniversaire. En plus, je voulais présenter de nouvelles personnes à Veronica ce qui lui permettrait de moins dépendre de moi et d'Helene pour avoir de la compagnie, lorsque, un vendredi, quand je rentre du travail, je sens dès la seconde où j'ai passé la porte que Rudy est venu dans l'appartement."

Je lui ai demandé comment elle pouvait le savoir.

Elle a répondu : "Je sentais son odeur. De cambouis, d'huile de moteur, de vapeurs d'essence et de quelque chose froidement chimique, presque médical. Ma première pensée, évidemment, a été de me demander où était Helene. Cette conne de junkie punk a pas intérêt à mettre mon bébé en danger, sinon je la tue, me disais-je en allant de pièce en pièce jusqu'à ce que je trouve Helene dans sa chambre, par terre, en train de marier Barbie et Ken, avec la souriante Becky comme demoiselle d'honneur. Tout semblait bien, même les chats étaient là pour le mariage, et donc je serre Helene dans mes bras et je lui demande : « Où est Veronica ? »

"Helene me répond : « Ils sont sortis, elle et le garçon qui a lancé le couteau. »

"Je lui ai encore posé quelques questions, du genre combien de temps il était resté dans l'appartement et depuis combien de temps ils étaient partis – juste quelques minutes dans les deux cas –, et Veronica avait promis de revenir tout de suite, ce qu'elle a fait alors que j'étais encore assise sur le plancher avec Helene. Elle entre dans la chambre, s'appuie contre le chambranle de la porte et dit : « C'est super que tu sois rentrée. J'étais juste en train de me débarrasser de Rudy. À cause de ce que tu penses de lui et tout ça. »"

Je dis alors à la femme : "C'était vraiment une bonne chose, non ? Que Veronica soit juste en train de se débarrasser de Rudy ?" J'étais maintenant plongé dans son histoire et je commençais à espérer que tout allait finir pour le mieux, même si je savais, par la manière dont elle avait commencé son récit, que ce ne serait pas le cas.

Elle a dit : "Ouais, bien sûr, une bonne chose. Eh bien, non. Parce que quand Veronica me lance ce sourire hyper-intense, je vois tout de suite à sa façon de tenir son corps, au rythme de sa respiration et à son sourire trompeur qu'elle est défoncée, et pas avec de l'herbe, non, défoncée au crack ou à la meth. Ce qui veut dire qu'elle ne me raconte que des conneries. Elle dit qu'elle doit aller pisser et va s'enfermer dans la salle de bains. Bien sûr que ça aussi c'est un bobard. C'est seulement pour m'empêcher de la regarder.

"Comme Veronica ne sait pas ce qui est réel et ce qui ne l'est pas, je n'ai moi non plus aucun moyen de le savoir. C'est à ça que ça aboutit avec les junkies. Ils vivent dans leur propre récit personnel même quand ils ne sont pas défoncés. Ils inventent la réalité et la déforment selon leur envie de drogue, et si tu marches dans leur récit ne serait-ce qu'un tout petit peu, c'est ta réalité à toi qui se trouve infectée jusqu'à ce que leur déformation devienne aussi la tienne ; et tout le temps, vingt-quatre heures sur vingt-quatre et sept jours sur sept, tu vas te creuser la tête pour savoir si cette fille plane ou pas, si elle tient le coup ou pas, si elle va t'arnaquer pour s'acheter de la came ou pas, si elle dit la vérité ou pas, et même si elle *sait* ce qui est vrai. C'est comme un virus. Leur maladie devient la tienne. La seule réponse valable, c'est de te mettre en quarantaine, loin d'eux, de ne pas écouter le premier mot de leurs explications compliquées sur ce qu'ils ont fait ou pas. Tu dois supposer que tout ça n'est que mensonge et simplement les virer de chez toi. Même si c'est ton propre enfant, et c'est ce que j'ai fait.

— Vous parlez d'Helene? ai-je demandé.

— Non, de Veronica! C'est un truc où il faut pas penser aux conséquences. Tu ne dois pas penser à ce qui va lui arriver maintenant, là-bas dans les rues à traîner derrière les Rudy de ce monde jusqu'à ce que ledit Rudy finisse par décider qu'elle lui coûte trop cher et qu'elle perd sa beauté, et alors il la jette comme de l'ordure pour que quelqu'un d'autre encore pire que lui la ramasse, parce qu'elle a beau descendre dans l'échelle de valeur des mecs, il y a toujours quelque pauvre abruti à l'échelon inférieur content de s'emparer du peu de corps et d'âme qui lui reste. C'est pour ça que je crois que Veronica est morte. Elle a aussi pu se mettre avec l'un de ces losers qui descendent ces temps-ci par centaines vers la Californie, et c'est peut-être ce qu'elle a fait, ou alors elle a été coffrée pour fabrication et vente de came puis envoyée dans la prison de Coffee Creek, là-bas à Wilsonville. Mais quelque chose me dit qu'elle n'a jamais quitté Portland. Peut-être parce que, malgré le climat pourri, je suis restée ici moi aussi, même après l'explosion de la bulle du Net en 2001 et la perte de mon boulot à l'agence, ce qui m'a obligée à vivre du chômage jusqu'à ce que Wendy's m'embauche. Parce que c'est l'endroit où Helene a grandi. Si Veronica s'était fait serrer et avait fini à Coffee Creek, je l'aurais su par Riri, Loulou ou Fifi, bien que je ne les voie plus depuis qu'ils sont retournés à Eugene pour y ouvrir leur propre garage motos. Mais quelqu'un me l'aurait dit. Tout le monde savait à quel point j'étais attachée à cette fille et comme je me suis sentie mal quand j'ai dû la mettre à la rue."

J'ai dit : "Il ne s'agit pas d'Helene, non ? Vous êtes bien sûre que vous parlez encore de Veronica ?

— Mais oui, évidemment, a-t-elle dit. Je ne suis pas tombée sur elle une seule fois dans cette ville, et pourtant Portland n'est pas si grand que ça, il n'y a que quelques quartiers qui sont assez bon marché pour que des gens comme elle, ou comme moi, d'ailleurs, puissent y habiter. Comme j'ai dit, je la cherche partout, et j'aurais tout de même dû finir par la repérer dans la queue devant une soupe populaire, ou en train de faire la manche en ville, ou d'attendre sous la pluie l'ouverture d'un des abris pour SDF. Mais je ne l'ai pas vue. C'est pour ça que je pense qu'elle est morte.

"Quoi qu'il en soit, quand Veronica a fini par sortir de la salle de bains ce jour-là, je l'attendais dans le séjour avec, à la main, un sac-poubelle rempli des quelques affaires qu'elle avait accumulées pendant qu'elle habitait chez moi : des tee-shirts, des tongs, les quelques sous-vêtements que je lui avais donnés et les bricoles qu'elle avait achetées avec les cent dollars que je lui versais toutes les semaines, comme une demi-douzaine de CD, une pile de magazines de mode qu'elle aimait découper pour faire des collages bizarres dans le genre gothique, et des lunettes de soleil qu'elle portait juste pour le style parce qu'il ne fait jamais soleil à Portland.

"« Tiens, voilà toutes tes merdes. Prends-les et dégage, je lui ai dit. Toi et moi, c'est terminé. »

"Elle m'a regardé avec de grands yeux, la bouche ouverte comme si elle était sous le choc. Ses dents commençaient déjà à se gâter à cause de la meth, et pendant une seconde j'ai pu voir à quoi elle ressemblerait dans quelques années, ce qui m'a donné envie de pleurer pour elle. J'avais envie de changer d'avis, de la prendre dans mes bras et de croire n'importe quelle craque qu'elle me balancerait pour m'expliquer pourquoi elle avait laissé entrer ce salopard de criminel dans l'appart et puis pourquoi elle était ressortie avec lui pour se défoncer alors que ma fille était encore une petite fille vulnérable – du moins elle l'était dans ma tête. Mais je n'ai pas pu. Il fallait que je sois forte. Je lui ai dit je veux pas être obligée de changer les serrures de l'appartement, alors rends-moi les clés.

"Elle n'a rien dit. Elle m'a juste tendu les clés.

"« Maintenant, va-t'en, je lui ai dit.

— Où est-ce que je peux aller ? a-t-elle fait avec sa voix de petite fille.

— N'importe où. Simplement pas ici.

— J'essayais juste de me débarrasser de lui sans qu'il se foute en pétard contre moi. Il devient vraiment méchant quand il est en pétard.

— Ne parle pas. Va-t'en, c'est tout », je lui ai dit. Je lui ai ouvert la porte, elle est sortie dans le hall et s'est retournée une dernière fois.

"« Je parie qu'un jour tu regretteras de m'avoir fait ça, elle a dit.

"— Seulement si on te trouve morte », j'ai dit. C'était la première fois que je pensais à ça. Mais il fallait que je prenne le risque de la savoir éventuellement morte. C'était comme si elle ne m'avait pas laissé d'autre choix. En tant que mère, je veux dire. J'essayais juste d'éviter à ma fille de finir un jour comme Veronica, c'est tout. Et c'était il y a si long-temps. Mais c'est pourquoi chaque fois que je lis dans le journal ou que j'entends aux infos du soir qu'on a trouvé le corps d'une jeune femme non identifiée le long de la Willamette ou dans le parc Washington, ou dans un terrain vague de Northeast Portland, je prends le bus jusqu'à la morgue de la rue Nicolai nord-ouest, près du port, et je me propose pour identifier le corps, parce que je connais tous les tatouages de Veronica et presque tous ses pier-cings. Mais jusqu'ici, ça n'a jamais été elle. C'était d'autres jeunes femmes. Les types de la morgue me connaissent, maintenant, et ils savent pourquoi je viens. Je suis même pas obligée de leur dire que je cherche Veronica. Évidemment, ils pensent sans doute que j'ai tué quelqu'un et que je viens pour savoir si on a découvert le cadavre."

J'ai commandé une autre tournée pour nous deux – la troisième. J'ai dit à la femme : "Quand vous des-cendez à la morgue, ce n'est pas Veronica que vous cherchez. Vous cherchez Helene, pas vrai ? Tout le temps, vous avez parlé de votre fille, Helene. Elle aurait maintenant vingt-six ou vingt-sept ans, pas vrai ? Helene, je veux dire. Vous avez viré Helene de votre appartement. Veronica, si elle est en vie, devrait avoir un peu plus de quarante ans. Si elle a existé, pour commencer."

Elle a dit : "Vous ne comprenez pas ! Je les cherche toutes les deux. Il se peut que je sois la seule à pou-voir les identifier, vous savez. C'est comme si je fai-sais un mauvais rêve et que je voulais me réveiller, mais j'ai peur qu'à mon réveil la réalité soit pire que le rêve. Je ne connais même pas votre nom", a-t-elle ajouté presque comme si ça lui venait après coup.

Je lui ai donné mon prénom, et j'ai demandé le sien.

Elle a dit : "Russell, c'est un beau prénom. Mais on n'en voit plus beaucoup. Moi, c'est Dorothy. On n'en voit pas beaucoup non plus, de celui-là."

À ce moment-là, nous nous sommes tus tous les deux et, pendant quelques instants, nous avons regardé la fin d'une partie de basket des Trail Blazers à la télé au-dessus du comptoir. Sans quitter des yeux l'écran, Dorothy a dit : "Vous avez raison. Au sujet d'Helene, je veux dire. J'ai dû la mettre dehors, et ça s'est fait récemment. Il y a un an et demi – c'est récent, n'est-ce pas ? Mais vous avez tort pour Veronica. Elle a existé. Et tout s'est passé comme je l'ai dit, et depuis ce moment-là je la cherche toujours. Parfois j'avais l'impression de la retrouver en Helene, surtout une fois qu'Helene a été arrêtée il y a deux ans parce qu'elle revendait de la meth pour son merdeux de petit ami et qu'elle a passé six mois à Coffee Creek et puis qu'à sa sortie elle a dû revenir vivre avec moi." Elle a poussé un soupir bruyant, chargé d'envie non satisfaite, comme un fumeur qui voudrait sortir un instant pour s'en griller une, et elle a dit : "J'ai parfois la sensation d'avoir passé toute ma vie d'adulte à chercher Veronica." Puis elle a brusquement agrippé ma manche et s'est mise à rire – la première fois de toute la soirée. D'un rire qui se moquait un peu de quelque chose qu'elle trouvait ridicule. Elle a dit : "Peut-être que Veronica *c'est moi !* Ça ne vous est jamais venu à l'esprit, Russell ?"

Je me suis retourné, je l'ai regardée en face en essayant de voir dans ses yeux et même au-delà, mais ses yeux ont froidement rejeté mon regard, me l'ont renvoyé. Elle souriait, presque triomphante.

J'ai dit : "Non! Pas jusqu'à cet instant. Mais maintenant, oui. Maintenant je pense que dans cette histoire, votre histoire, vous êtes en effet Veronica. Et vous êtes aussi Helene, la fille. Et vous êtes Dorothy, la mère. Et je crois que vous vous êtes mises ensemble toutes les trois pour faire quelque chose de très mal. Je crois que c'est la raison pour laquelle chaque fois qu'on découvre le corps d'une jeune femme non identifiée vous descendez à la morgue."

Je me suis levé. D'un geste, j'ai demandé l'addition et j'ai payé nos verres. "Vous ne cherchez ni Veronica ni Helene, ai-je dit. Vous cherchez quelqu'un d'autre, quelqu'un à qui vous trois avez fait quelque chose de très mal. Quelqu'un dont vous n'avez pas encore révélé le nom. Et c'est ce que vous avez essayé de me dire ce soir. Et essayé de ne pas me dire.

— Je vous dis seulement ce que je sais, Russell.

— C'est pour ça que vous me faites peur. C'est comme ce que vous avez dit sur Veronica et les toxicos dans son genre. Ils vivent dans leur propre histoire personnelle, même quand ils ne sont pas défoncés. Vous avez dit que c'était comme un virus. Leur maladie devient la vôtre. Vous avez dit que la seule réaction valable consiste à se mettre en quarantaine, loin d'eux. Vous avez dit qu'il faut supposer que tout n'est que mensonge. Et c'est exactement ce que je fais maintenant. Bonne nuit, qui que vous soyez. Où que vous soyez. Quoi que vous ayez fait."

J'ai alors quitté le bar et, tout secoué, je suis allé directement jusqu'à la porte où j'allais attendre mon vol pour Minneapolis.

LA PORTE VERTE

LE PIANO HOLLYWOOD EST UN PIANO-BAR coincé entre le casino et l'hôtel du Seminole Hard Rock Hotel & Casino, à Hollywood en Floride. Et comme si je distribuais des cartes à jouer et non des boissons, le type me demande les règles du poker Texas Hold'em. Je les connais, bien sûr – qui ne les connaît pas ?

Ce type, lui, ne les connaît pas. C'est un mec plutôt énorme en forme de poire, dans les cinquante ans, la peau rose, avec des cheveux gris-blond clairsemés qu'il ramène d'un côté du crâne à l'autre. Il porte un nœud papillon à rayures bleues sur or et un costume beige spécial tropiques que je prends d'abord pour un produit J. C. Penney ou Sears, Roebuck, jusqu'à ce que j'aie l'occasion de voir d'un peu plus près les coutures et le travail mis en œuvre ; je décide alors que c'est un vêtement de qualité au beau tissu sans doute italien qui va chercher dans les deux mille, et le problème n'est plus le costume : c'est le corps du mec, qui relève de Sears, Roebuck.

Il en est à son deuxième thé glacé Long Island quand il me pose sa question sur le Texas Hold'em. Il est encore tôt, peu après quatre heures de l'aprèsmidi, et comme c'est calme au piano-bar – les gens des maisons de retraite de Fort Lauderdale et de Miami qui sont venus passer la journée se trouvent du côté des machines à sous en train de liquider leur chèque d'assurance vieillesse tandis que les flambeurs, telles des chauves-souris dans leur grotte, commencent tout juste à se réveiller –, je lui donne la version courte. Je lui parle des cartes fermées, de la carte brûlée qui, pour ceux qui ne s'y connaissent pas, signifie souvent que le donneur triche alors que c'est l'inverse. Je lui décris le pré-flop et le flop, le tournant et la rivière, mais déjà les yeux du type se voilent. Il va se faire plumer de huit façons différentes, je me dis. Je lui explique qu'il devrait observer quelques parties avant de mettre des jetons sur la table. Et puis je mens en lui disant que c'est comme le stud à sept cartes, sauf que c'est plus simple. Pour une raison mal définie, quelque chose en moi n'a pas envie de protéger ce type de lui-même.

Il me remercie un peu trop et commande un autre thé glacé Long Island. Lui tournant le dos, je mets dans un verre rempli de glace pilée une dose du cocktail suivant : vodka, tequila, rhum, gin, triple sec, Sweet'n' Sour, plus une giclée de Coca-Cola. C'est un assommoir pour ceux qui n'aiment pas le goût de l'alcool mais veulent se pinter à mort. Alors que je suis en train de verser le mélange dans le shaker il me demande à brûle-pourpoint d'une voix trop forte : "Où est-ce qu'un brave homme peut trouver quelques heures de compagnie sexuelle intéressante, par ici ?" Il vient du Sud, de la Géorgie ou de la Caroline du Sud, et il a l'accent de ces gens qui vivent dans des enclaves résidentielles protégées à l'extérieur des villes. On en voit pas mal, par ici, hommes comme femmes, pour la plupart de bons chrétiens qui cherchent, le nez au vent, des trucs qu'ils ne peuvent pas se procurer chez eux.

Je secoue le shaker avec force et je remplis le verre en m'assurant qu'il y a bien en haut la fine couche de mousse caractéristique, puis je plante un quartier de citron sur le bord et pose le verre devant le type. "Ça dépend, dis-je.

— De quoi donc, s'il vous plaît?" Il prend une gorgée de son cocktail, ferme les yeux et sourit d'un air approbateur comme s'il était fin connaisseur des thés glacés Long Island et que celui-ci était parfait.

"De combien vous voulez dépenser. Et de si vous avez une voiture et vous acceptez de rouler jusqu'à South Beach ou Fort Lauderdale ou si vous êtes obligé de rester ici dans la réserve indienne. Vous dormez au Hard Rock?" je lui demande.

Il répond que oui, qu'il est au Hard Rock en voyage d'affaires mais qu'il a une voiture de location et qu'il peut aller là où sont les femmes. Il les appelle les "dames de la nuit". Je n'arrive pas à savoir s'il se croit drôle ou si c'est juste le roi des connards. J'ai plus de soixante ans et c'est la première fois que j'entends cette expression.

"Et ça dépend aussi du genre d'action que vous cherchez", lui dis-je.

Il sirote en fermant de nouveau les yeux. "Je ne serais pas contre des activités diverses. Quelque chose d'un peu *de trop**, si vous voyez ce que je veux dire."

Je ne parle pas français mais je devine où il veut en venir. Je lui explique que s'il veut autre chose que les deux ou trois trucs les plus demandés du menu, il va probablement être obligé de sortir de la réserve indienne parce que les Séminoles y font

* En français dans le texte.

régner une solide discipline. "Ce sont les numéros un de l'industrie du jeu, vous comprenez. Qu'une ou deux racoleuses viennent trottiner dans le casino ou les galeries marchandes, ça ne les gêne pas trop du moment qu'elles restent discrètes et font leurs transactions en privé, mais les Séminoles sont des commerçants et ils sont obligés d'avoir l'air plus propres que propres. Même s'ils ne le sont pas tout à fait." C'est un ajout que je peux me permettre parce que, bien qu'on me dise que je ressemble à un Indien séminole, je suis juif et c'est le Piano qui me paye, lequel Piano appartient par ailleurs à des Britanniques de Hong Kong.

"C'est pour ça que je suis ici, dit-il, pour des affaires avec les Séminoles! Je compte ouvrir une chapelle et un centre de méditation dans ce complexe hôtelier. Mes partenaires et moi, nous franchisons des centres de prière et de méditation dans des casinos indiens dans tout le pays. On en a soixante-sept déjà ouverts et vingt-sept de plus sous contrat.

— Un peu comme les franchises de restaurants?

— Dans un sens, oui. Les Indiens comprennent bien ça. Ce sont des gens très portés sur les choses spirituelles, les Indiens. Mais le vrai génie de l'Amérique, c'est le marketing, poursuit-il. On a pris Starbucks pour modèle. Et aussi Hard Rock Café. La seule différence, c'est que notre produit n'est pas du café, de la nourriture, de l'alcool ou des performances musicales, et c'est sûrement pas non plus des jeux d'argent. Notre produit, c'est un espace spirituel sans appartenance confessionnelle.

— Un produit invisible. Voilà qui est cool. S'il y a des plaintes, vous pouvez accuser le client. C'est mieux que de vendre de l'eau du robinet en bouteille", lui dis-je pour le taquiner un peu. Bien que je sois un Juif qui observe certaines pratiques religieuses, je suis tout à fait laïque à d'autres égards et je ne crois à rien de ce qui est invisible, sauf aux atomes et aux molécules, et même là je suis agnostique.

"Revenons à notre conversation précédente, dit-il. Sur les dames de la nuit.

— D'accord. Mais dites-moi d'abord comment vous gagnez de l'argent avec ces espaces spirituels. Est-ce que les gens doivent payer pour prier ?

— C'est le casino qui nous paye, naturellement. Comme si nous leur louions une belle fontaine pour le hall d'entrée ou un grand aquarium tropical. Ça embellit l'environnement. Ça élève le niveau ambiant. La conception et la disposition du mobilier, les autels et les décorations murales, tout cela obéit aux principes millénaires du feng shui. Ce qui favorise la chance, vous savez. Les joueurs ont besoin de chance. Il s'agit d'une structure démontable : nous sommes donc propriétaires de l'espace et nous en assurons l'entretien. Il y a aussi une boîte pour recueillir les dons des utilisateurs – des bénéficiaires – qui souhaitent exprimer leur gratitude.

— Une boîte à pourboires ?

— Vous pouvez l'appeler comme ça. Nous avons une équipe régionale qui passe chaque semaine pour vider ces boîtes, et oui, en effet, ça finit par faire une belle somme. Les casinos sont pleins de gens qui ont des soucis et qui cherchent une aide spirituelle, quelque chose qui leur remontera le moral. Quand ils le trouvent, ils sont reconnaissants et ils sont contents d'exprimer leur gratitude. Mais notre principale source de revenus, c'est le loyer mensuel de l'espace même. Maintenant, mon ami, revenons à notre précédent sujet."

En fait, je m'intéresse davantage à ces chapelles démontables sans appartenance confessionnelle qu'à notre précédent sujet, mais c'est lui le client. Je lui demande une fois de plus ce qui l'intéresse dans le menu du sexe. Cherche-t-il du pain de viande, un cheeseburger, des sandwiches à la confiture et au beurre de cacahuète ? Ou lui faut-il quelque chose de plus exotique ?

Un garçon d'environ vingt-cinq ans, de grande taille, maigre et nerveux, s'est installé à trois tabourets de distance de mon client et il écoute à moitié notre conversation d'un air apparemment désapprobateur. Il porte une de ces barbes de cinq jours destinées à montrer son taux élevé de testostérone. Je connais vaguement ce gars, il s'appelle Enrique. Un Dominicain, je crois. Il parle bien anglais, avec juste un léger accent. Il vient au Piano à peu près tous les dix jours ; il s'y arrête pour prendre un ou deux verres avant d'entrer dans le casino. Il ne parle pas beaucoup. Je crois que son truc c'est le poker low-ball. Il m'a dit un jour qu'il possédait toute une série de stations de lavage de voitures. C'est un petit entrepreneur qui monte, pas le genre à travailler pour quelqu'un d'autre. Je ne l'ai jamais vu se fendre d'un sourire. Il doit avoir un problème avec l'autorité. Je peux pas dire qu'il m'attire.

Je le gratifie d'un hochement de tête pour lui signifier que je vais prendre sa commande dans une seconde, mais aussi pour faire savoir à mon gus que s'il veut parler des dames de la nuit il a intérêt à la mettre en sourdine ou alors à s'exprimer de façon codée. Il n'est pas exclu qu'Enrique soit en réalité un flic en civil. Du fait du casino et de l'hôtel, il y a tout un paquet de flics déguisés qui rôdent dans le coin, des gardes privés, des sbires de la police locale ou de l'État, voire des agents fédéraux.

Nœud pap jette un coup d'œil à Enrique, semble saisir ce que j'indique et me confie à voix basse que ce qui l'intéresse, c'est de la cuisine thaïe vraiment chaude. "Épicée et brûlante!" insiste-t-il. Puis il opère un demi-tour sur son tabouret, et, avec un grand sourire et un clin d'œil à Enrique, il demande : "Hé, mon ami, connaîtriez-vous un endroit près d'ici où un brave Blanc pourrait manger thaï ou peut-être polynésien?"

Enrique grogne et lui décoche un mince sourire. "Des Thaïs, vous dites. Hommes ou femmes? À moins qu'il ne s'agisse de garçons polynésiens bien gras", lance-t-il avec un rire qui ressemble à un aboiement, mais sans sourire et en secouant la tête comme s'il n'arrivait pas à croire que ce type parle sérieusement. Je ne suis pas sûr de son sérieux moi non plus, mais sa personnalité s'accroche à moi comme du velcro. Je suis un barman, je prends les gens comme ils viennent. Je ne crois rien de ce qu'ils me racontent, et je les oublie quand ils s'en vont. Mais quelque chose chez ce type me plaît et en même temps me répugne complètement. Ça me donne à la fois envie de l'aider et de lui faire du mal. Oui, quelque chose chez lui me désoriente.

"Un brave Blanc", répète Enrique en se parlant à lui-même ; et il grogne de nouveau. Il pivote et nous tourne le dos. Sur sa nuque, le haut d'un marsouin tatoué dans le style d'une gravure sur bois japonaise jaillit au-dessus de son tee-shirt en soie grise. Ses cheveux d'un noir brillant sont ramenés en une queue de cheval courte et serrée qui vient chatouiller le nez du marsouin. Je vais vers lui pour prendre sa commande, et il me la récite sans me regarder. Vodka martini. Refroidie au shaker. Avec de la Ketel One. Très peu de vermouth. Trois olives.

Enrique sait ce qu'il aime.

Nœud pap lui dit : "Vous vous appelez comment, mon ami ?"

L'autre sort son iPhone et fait comme s'il vérifiait ses emails. "Enrique, dit-il. Et vous, comment on vous appelle, *man* ?" Sans lever les yeux de son téléphone. "Le Blanc ?

— Ah, sûrement pas ! Allyn. Ça s'écrit A-L-L-Y-N et ça se prononce Allen, comme…, dit-il en regardant le plafond. J'arrive pas à penser à des Allen célèbres. Woody Allen ? En tout cas, si on l'écrit avec un *y* c'est un nom gaélique qui signifie « précieux ». Ce qui pourrait vous faire supposer que j'étais un enfant unique, Enrique, et vous auriez raison."

Enrique me regarde et dit : "Parlez à Précieux du Green Door.

— Vous croyez ?

— Bien sûr. S'il veut un buffet sexuel, il faut qu'il aille au Green Door. Précieux, vous pouvez vous envoyer en l'air comme vous voulez, au Green Door."

Avec cet échange, Allyn semble avoir mordu à l'hameçon : il a la tête penchée d'un côté et ses yeux font le va-et-vient entre Enrique et moi comme si l'un de nous deux était sur le point de lui livrer les clés de Sodome et Gomorrhe.

Allyn me dit : "C'est vrai ? Ouah ! Où il est, le Green Door ? C'est quoi ? Une boîte de nuit ? Un sex club ?"

Je lui explique que ce n'est qu'un bar situé dans un mini-centre commercial aux abords de la ville. De dehors, il ressemble à un café des sports ordinaire, mais à l'intérieur, à l'arrière, il y a une porte verte et, comme dit la chanson*, vous frappez trois coups et quand la porte s'entrouvre vous annoncez "Je viens de la part de Joe", et on vous laisse entrer. "Personnellement, j'y suis jamais allé. Mais j'ai entendu dire que tout ce que vous pouvez chercher, vous le trouverez derrière la porte verte. Des filles en uniforme d'écolières, des cougars, des grosses, des Noires, des Blanches et, oui, des Thaïs. Probablement aussi de gros garçons polynésiens et des contorsionnistes, des combinaisons en latex, des fouets, des cordes, le carnaval complet des actes sexuels. En tout cas, c'est ce qu'on m'a dit. Personnellement, j'y suis jamais allé."

Je vois bien qu'il ne me croit pas tout à fait, comme si c'était trop beau pour être vrai, et je suppose que pour un type dans son genre, mari et père de famille chrétien, homme d'affaires qui n'a jamais été client d'un club plus dévergondé qu'un country club, c'est en effet trop beau pour être vrai. Il pince les lèvres, plongé dans ses pensées.

"Comment sait-on ce qui leur plaît ? veut-il savoir. Comment est-ce qu'on leur demande ce qu'ils veulent ?"

Enrique dit : "Bordel, *man*, c'est à vous qu'on demande ce que *vous* voulez ! C'est vous le putain de client. C'est comme quand vous commandez à boire dans une putain de piano-bar.

— Compris !" dit Allyn. Mais je vois bien qu'il n'est pas du tout sûr de ce qu'il veut. Il n'est sans

---

* *The Green Door* ("La Porte verte") : chanson populaire de 1956 à laquelle se réfère aussi le film pornographique américain *Behind the Green Door (Derrière la porte verte)*, produit en 1972.

doute même pas certain de ce qu'il veut chez lui, au lit avec sa femme, et il doit attendre qu'elle lui dise ce qu'elle souhaite, elle, avant qu'il y aille de toute sa virilité pour la satisfaire. C'est pourquoi ce soir il erre dans les méandres obscurs de son esprit jusqu'au Green Door. Il a passé trop d'années à remettre ses désirs à plus tard, à entretenir des fantasmes et à se transformer en amateur de lèche-vitrine sexuel pour savoir ce qu'il veut vraiment. Comme moi, peut-être. Sauf que moi je le fais avec la vie en général, pas seulement avec le sexe. Il se pourrait que ce soit pour ça que ce type m'attire et me répugne en même temps.

Enrique boit prudemment la première gorgée de son martini. Il hoche la tête d'un air approbateur et me dit : "Bon martini. Dites à Précieux de bien tenir son portefeuille dans sa main au moment où il jouira."

Comme je ne veux pas l'appeler Précieux, je lui répète simplement : "Tenez bien votre portefeuille au moment où vous jouirez.

— Compris! dit de nouveau Allyn.

— Et surveillez votre montre. C'est une belle montre, lui dis-je.

— Une Movado, explique-t-il. Haut de gamme."

IL EST SIX HEURES passées de quelques minutes, donc encore tôt, et Allyn s'affaire sur son quatrième thé glacé Long Island. Il n'a pas l'air en état d'arriver jusqu'au Green Door. En tout cas pas ce soir. Ses paupières tombent et il sourit à son reflet dans le grand miroir derrière le comptoir. Enrique est au milieu de sa deuxième vodka martini, et il s'est isolé, il lit la page sport du *Miami Herald*. Malgré l'heure, le Piano est pour l'instant un endroit où il se passe des choses. Un bus immense s'est arrêté au casino, et il en est descendu deux douzaines de jeunes géants pour la plupart noirs, suivis d'au moins vingt sacs marins énormes, ainsi que cinq ou six hommes d'âge mûr et de taille normale, pour la plupart blancs. D'après leurs tee-shirts bleu et blanc et leurs sweats à capuche, il s'agit de l'équipe de basket de Daytona State College et de ses entraîneurs. Ils sont sans doute venus pour un match contre Broward College programmé par la Suncoast Conference*, et à cette rencontre seront présents des dénicheurs de talents venus d'équipes de première division telles que celles de l'université de Miami ou de Florida State University. Comme le disait mon type, on est en Amérique et on a le génie du marketing.

Les jeunes géants déambulent dans le parking à côté du bus et jettent, à travers les portes en verre, de longs regards pleins d'envie aux bars, aux restaurants et au casino un peu plus loin tandis que leurs entraîneurs et soigneurs les enregistrent à l'hôtel et finissent par les regrouper à l'intérieur puis dans les ascenseurs pour les envoyer dans leurs chambres. Une fois les jeunes expédiés, les entraîneurs et les soigneurs foncent vers le piano-bar où ils prennent une grande table dans l'angle opposé à celui du piano, car là ils ont une vue dégagée sur l'écran plat de 52 pouces. Prenant la télécommande sous le comptoir, je passe de *Judge Judy* à la chaîne de sports ESPN, et toute la bande reste les yeux collés à l'écran, bouche ouverte comme une nichée d'oisillons attendant la becquée.

---

* Association regroupant des équipes d'établissements universitaires de premier cycle.

Et maintenant entre en scène l'équipe qui travaille de six heures jusqu'à la fermeture, c'est-à-dire Tiffany et Alicia, deux serveuses dans le style Mutt et Jeff, l'une très grande et l'autre très petite. Heureusement qu'elles sont là, parce qu'en plus des entraîneurs de Daytona State, huit ou dix garçons, jeunes et sveltes, viennent d'entrer en coup de vent. Ils veulent du champagne. Ils ont envie de s'amuser avec le piano au Piano. C'est leur quatrième nuit dans cet hôtel et le premier soir où ils ne sont pas sur scène au Hard Rock avec Cher dont on raconte qu'elle occupe à elle seule tout le dernier étage de l'hôtel et qu'elle se fait tout servir là-haut. Personne, parmi ceux qui travaillent dans l'un des bars et restaurants du casino, ne peut prétendre l'avoir vue de près en chair et en os, à part quelques serveuses et les machinistes qui l'ont entrevue quand l'un de ses nombreux assistants l'a aidée à monter sur scène ou à en descendre.

Ces jeunes-là, ce soir, sont les choristes qui chantent et dansent avec Cher, et, bien entendu, ils sont super-beaux. Fringues ultra-chics façon L.A., bronzages parfaits comme à la rôtissoire, coupes au rasoir identiques, et des corps qui assurent. Ils portent tous des pantalons noirs moulants, comme des toreros, et des chemises aux manches bouffantes de divers tons pastel qu'on devrait appeler chemisiers plutôt que chemises. Et puis ils ne restent pas là debout à picoler en échangeant des vantardises ou en draguant des inconnues comme la plupart des clients de sexe masculin. Non, ils font des moulinets avec leurs mains et prennent des voix de scène comme s'ils étaient sur le point d'entonner une chanson de Liza Minnelli. Ils bondissent et gambadent sur le sol carrelé comme sur un trampoline. Ce sont des bêtes de scène, et ils ne peuvent pas s'arrêter.

Je prends plaisir à les écouter et à les regarder bouger. Ils me donnent envie de chanter et de danser moi aussi, même si je suis incapable de tenir la note, si je n'ai pas le pied agile et si mon sens du rythme est nul. J'ai soixante-quatre ans, et bien que j'aie eu dans ma jeunesse le look qu'il fallait, je n'ai jamais joué comme eux. À présent, il m'arrive de me dire que j'aurais dû. Pas nécessairement la partie gay, mais la partie tapageuse, la danse, la frime. L'extravagance, la flamboyance. Ça a l'air chouette.

Mais maintenant c'est trop tard. Le truc le plus extravagant que j'aie jamais fait, c'était d'auditionner auprès d'une boîte de prod de films pornos à South Beach. J'avais trente-cinq ans, j'étais divorcé et fauché. J'avais une bite de dix-huit centimètres, mais ils m'ont dit qu'ils en voulaient une de dix-neuf, alors, à la place, j'ai pris un cours de préparation de cocktails – quarante heures de formation à la New York Bartending School de Floride du Sud. Le reste, c'est du passé. Je suis toujours divorcé, mais je ne suis plus fauché. J'ai toujours une bite de dix-huit centimètres, mais je n'ai plus trente-cinq ans.

Vers sept heures du soir, Allyn semble se dégager de la prise que le miroir exerce sur son attention. Il secoue la tête et fait bouger ses lèvres comme s'il se réveillait d'un petit somme et demandait comment se rendre en voiture au Green Door. Je le fais patienter tandis que je finis de remplir sept flûtes de Moët & Chandon pour les choristes de Cher. Mutt et Jeff se magnent le train pour aller servir les flûtes. En expliquant à Allyn le chemin à suivre, je lui dis qu'il devrait faire attention quand il sera au volant. Après quatre thés glacés Long Island, si les flics l'arrêtent, il n'a aucune chance de se tirer d'un alcootest.

Il bombe le torse et dit : "Vous insinuez que je suis ivre ?"

Enrique replie son journal et lance : "Bas les pattes, con de Blanc, sinon je te coupe tes sales couilles."

Allyn et moi faisons tous les deux : "Hein ?"

On ne saisit pas très bien à qui il veut couper les couilles ou pourquoi. Je suppose que ce sont celles d'Allyn qui sont visées, mais Allyn m'adresse un regard inquiet suggérant que ce sont les miennes.

Le front d'Enrique se plisse comme s'il allait pleurer. Il lève d'abord les yeux vers moi, puis vers Allyn, et dit : "Oh, putain, je sais pas ce qui m'a pris. Je suis vraiment, vraiment désolé, *man*. J'ai une maladie, c'est une sorte d'autisme et ça me fait dire des conneries que je voudrais pas dire. Toutes mes excuses, *man*."

Je lui réponds qu'il n'y a pas de problème et Allyn fait de même, puis, comme pour le rassurer, Allyn invite Enrique à l'accompagner au Green Door.

Enrique refuse poliment.

Allyn se tourne vers moi : "Et vous, alors, le barman ? Vous ne voudriez pas venir avec moi au Green Door et vous tremper de sueur avec la chose ou la personne qui vous fait envie ?"

Il m'apparaît soudain qu'Allyn est celui qui est frappé par la maladie qui fait dire aux gens des trucs bizarres qu'ils n'avaient pas l'intention d'exprimer – sauf que là, Allyn dit bien ce qu'il veut dire.

"Non, merci. J'ai trop à faire ici, ce soir.

— Ah bon ? fait Enrique. Vous faites quoi, vous tuez des gens ?

— Na-an, pas ce soir. En fait, le mec qui me remplace s'est fait porter malade, et donc je suis coincé ici jusqu'à la fermeture. Sinon, bien sûr, je serais dehors en train de tuer des gens." C'est un petit jeu auquel on peut jouer à deux.

Allyn dit : "Ou bien en train de faire un tour au Green Door avec moi!" Il pose cent dollars sur le comptoir, me dit de garder la monnaie et s'éloigne en titubant. Je déduis soixante pour la caisse et j'empoche le reste.

Enrique déclare : "Y a pas la moindre chance que ce gus arrive jusqu'au Green Door."

Je l'interroge sur sa maladie : est-ce qu'elle va et vient, ou bien est-il obligé de la combattre en permanence pour ne pas débiter des trucs qu'il n'a pas envie de dire?

"Le seul moment où je peux l'oublier, c'est quand je dors. Il y a des fois où j'en ai marre de la combattre, comme ce soir, et alors, rien à foutre, vous voyez?"

Je réponds que je vois. Mais ce que je voudrais vraiment savoir et que je ne demande pas, c'est la sensation qu'on a quand on laisse brusquement échapper n'importe quel truc qui vous traverse la tête. Ça doit être comme passer derrière la porte verte. On doit se sentir super-bien de s'autoriser à faire ça. D'une certaine façon, ça doit être marrant, comme d'être un des choristes étincelants de Cher quand ils tourbillonnent sur scène en chantant *Bang Bang (My Baby Shot Me Down)*, ce qu'ils sont justement en train de faire à l'autre bout du bar : l'un d'entre eux est au piano et les six autres, se tenant par les épaules, forment une ligne de danseurs qui balancent les pieds à gauche puis à droite et s'éclatent avec cette chanson débile en l'exécutant non seulement pour eux-mêmes mais aussi pour tous ceux, dans le bar, qui ont envie de regarder et d'écouter. Les entraîneurs kiffent tous, tandis que Mutt et Jeff restent là à mater avec de grands sourires, et même Enrique semble apprécier. Et moi – peut-être surtout moi –, ça me plaît.

Il est deux heures du matin quand enfin, après être parvenu à mettre tout le monde dehors, avoir lavé le comptoir et tout fermé, je me dirige vers le parking des employés de l'autre côté de Seminole Way. Il faut encore que j'y traîne ma foutue carcasse... mais si je travaillais pour un des bars du casino et pas pour le Piano, je serais obligé de servir des mecs bourrés jusqu'au lever du jour, et donc je ne me plains pas, je fais juste une remarque.

Tandis que je traverse le parking en direction de ma Corolla, des détecteurs de mouvement allument les nouveaux réverbères à LED écologiquement corrects, et une fois que je suis passé dessous, ils les éteignent derrière moi : une lampe brillante me mène à la suivante avant de s'éteindre, et ceci sur tout le trajet à travers l'énorme terrain pratiquement vide. Le long du trottoir, des palmiers cliquettent et craquent sous la brise. Une averse ultra-brève a rafraîchi l'air, et des nuages de vapeur s'élèvent du sol comme si le ciment était chauffé du dessous par des feux dans la forge du diable. J'ai traversé ce parking des milliers de fois sans jamais lui accorder la moindre attention, mais cette nuit, sans que je sache pourquoi, il me fout les jetons. Il me rend nerveux.

Dans ma tête, j'entends encore Enrique et Allyn, surtout Allyn, lorsque j'arrive à ma voiture et que je monte dedans. Au cours de cette nuit, j'ai peut-être eu une douzaine de conversations avec des clients : certaines ont été intéressantes, deux ou trois ont été utiles. Et pourtant je ne parviens pas à me souvenir de la moindre d'entre elles, sauf de cet échange avec Enrique et Allyn en début de soirée, qui demeure en moi de façon légèrement irritante, comme une piqûre d'abeille vieille d'un jour.

Je roule dans le parking vers la sortie de Lucky Street tout en repassant les paroles de ces clients dans mon oreille interne quand mes phares tombent sur trois hommes et une berline Ford Fusion aux portières avant grandes ouvertes, garée en oblique sur deux places de stationnement adjacentes. Prises dans le cône de lumière de mes phares, les trois silhouettes sont par ailleurs entourées d'obscurité. Ces trois hommes se comportent comme si je n'étais pas là ou s'ils n'avaient rien à foutre de ma présence. L'un des trois saute sur place et lance en l'air de grands coups de poing très décidés comme s'il était en train de rejouer un match de catch organisé par la WWE. Il a l'air de crier contre les deux autres qui restent à un ou deux mètres et le regardent avec méfiance, semblant se demander pourquoi il leur fait ce numéro. Ils sont plus jeunes et plus petits que lui – des poupées de chiffon dans le genre de Raggedy Andy, mais rougeauds et pas rasés. L'un des deux, un gros à la longue tresse, a l'air séminole ; l'autre, maigrichon, me paraît hispanique. Des junkies SDF brûlés par le soleil ou des ivrognes à la trogne rouge, me semble-t-il. La plus grande minorité de Floride. Près de la voiture, ils ont garé une paire de chariots de supermarché identiques, remplis de sacs-poubelles contenant tous leurs biens terrestres.

Je me rends brusquement compte que le mec qui gesticule furieusement n'est autre qu'Allyn, mon amateur de thé glacé Long Island, et on dirait qu'il s'est fait cogner et dépouiller – nœud pap défait, chemise déboutonnée jusque sous le nombril, manche droite de la veste à moitié déchirée, le costume lui-même maculé par de la boue et par ce qui ressemble à du vin rouge à moins que ce ne soit du sang (difficile à dire sous l'éclat éblouissant des phares). Les mèches qu'il avait rabattues sur le haut de son crâne sont hérissées comme s'il avait mis ses doigts dans une prise électrique. Il a deux vilains hématomes bleus sur le front et un coquard pourpre en train d'enfler sous l'œil gauche.

J'ai arrêté ma voiture à six ou sept mètres de lui, toujours à l'intérieur du parking, séparé de son véhicule de location par un terre-plein en béton aux bords surélevés. Je tends le bras pour abaisser la vitre du côté passager de façon à pouvoir m'adresser à Allyn. Il n'a pas l'air d'avoir toute sa tête. Mais il n'a pas non plus l'air tout à fait dément.

Après avoir baissé complètement la vitre, je crie : "Hé, *man*, ça va ? Vous avez besoin d'aide ?"

Il jette un coup d'œil dans ma direction mais ne semble pas me reconnaître. "De l'aide, j'en ai eu assez pour une seule nuit. Merci bien ! Sauf si vous êtes de la police et si vous pouvez arrêter ces deux-là !

— Allyn, c'est moi, celui qui vous a envoyé au Green Door, vous vous rappelez ?"

L'Indien et l'Hispanique se glissent lentement vers leurs chariots tout en gardant un œil méfiant sur Allyn qui, maintenant, donne l'impression de me reconnaître et fait un pas dans ma direction. Mais il voit les deux SDF près de s'échapper. "Pas si vite ! leur crie-t-il. On a encore des affaires à régler !"

Les deux autres se figent et nous regardent alternativement, lui et moi. Jusqu'alors, ils se sont sans doute payé la tête d'Allyn, le seul mec dans le coin qui leur paraissait plus fou qu'eux. Ils pensent avoir le dessus contre Allyn – manifestement ils l'avaient déjà – mais pas contre nous deux. Et il est possible que j'aie une arme. Après tout, on est en Floride du Sud, et toute personne dehors à cette heure tardive risque d'être armée et aurait légalement le droit de les abattre tous les deux et puis d'affirmer qu'elle s'est sentie menacée par eux. De fait, j'ai un 9mm, un Smith & Wesson Bodyguard dans la boîte à gants ; il est chargé et je pourrais facilement prendre le contrôle de la situation si je voulais. Mais je ne veux pas. Et je ne me sens pas menacé.

"Qu'est-ce qui se passe, Allyn ?

— Ils ont mis quelque chose dans ma boisson.

— Qui ça ?

— Je sais pas. Au Green Door ! Je me suis réveillé dans ma voiture, et ces deux-là étaient en train de me faire les poches et de m'enlever ma montre.

— Qu'est-ce qui s'est passé, au Green Door ?

— Je viens de le dire, on a versé quelque chose dans mon verre ! De la dope ! Des gouttes qui te rendent inconscient ou un truc comme ça !

— Bon, et est-ce que vous avez trouvé ce que vous cherchiez, là-bas ?

— Je me souviens plus de rien ! Je me souviens juste d'être passé de l'autre côté de la porte verte. Et puis soudain je me retrouve ici, dans ma voiture, et ces deux-là sont en train de me piquer mon portefeuille et ma Movado. Et maintenant je vais leur casser leur sale gueule et récupérer mon portefeuille et ma montre, bordel !"

L'Indien et l'Hispanique n'ont pas l'air plus en colère que ça, comme si ce foldingue avait interrompu une gentille séance de derniers verres à la vinasse Thunderbird. Je dis : "Vous, les gars, vous lui avez pris son portefeuille et sa montre ?"

Ils font non de la tête. Ils ont les yeux à moitié fermés.

Je dis à Allyn : "Des gouttes qui rendent inconscient ? Ils vous ont mis de la drogue dans le verre ? Arrêtez de déconner, *man*. Vous regardez quel genre de films ? Vous étiez complètement bourré quand vous êtes parti du Piano. Vous n'êtes probablement jamais sorti du parking. Ça s'appelle un *black-out*, ducon."

Je me tourne vers les SDF. "Qu'il se démerde. Il est à vous."

Ensuite, pour des raisons que je ne connais pas et que je serais incapable de préciser, je fais une marche arrière de quelques mètres. Je remonte la vitre et tout s'arrête comme si j'étais brusquement débranché. Aucune énergie. Je reste simplement assis derrière le volant et je regarde les choses se dérouler comme si elles se passaient sur un écran plat haute définition sans le son.

Je ne peux pas l'entendre, mais je sais en voyant le visage d'Allyn et ses gros yeux qu'il s'est remis à gueuler contre les deux sans-abri, et, tout en hurlant, il danse une curieuse sorte de gigue, sautillant d'un pied sur l'autre, les genoux légèrement pliés. Il bat des bras et secoue la tête de haut en bas presque comme s'il avait une crise d'épilepsie, sauf que ses gestes sont plus ou moins coordonnés et volontaires. Il agite les mains, fait signe aux deux autres de venir se battre : Allez, *man*, amenez-vous !

L'Hispanique plonge la main dans sa poche de devant, en retire un petit couteau à cran d'arrêt et l'ouvre.

L'Indien touche le bras de son camarade et lui dit quelque chose.

Comme s'il n'avait pas remarqué le cran d'arrêt de l'Hispanique et ne voyait pas le couteau de chasse bien plus imposant que l'Indien vient d'extraire d'un étui en cuir attaché à sa jambe, Allyn continue de gueuler et de danser, livrant une version pour gros d'un *Ali shuffle**.

L'Hispanique brandit son couteau de poche et entaille le cou d'Allyn depuis le dessous de l'oreille droite jusqu'à la clavicule. Du sang jaillit d'une artère. Allyn trébuche en dansant et fait encore un bond lorsque l'Indien lui enfonce sa lame dans le ventre et la retire d'un mouvement brusque. De sa main libre, l'Indien repousse de deux pas Allyn qui tombe sur le sol asphalté. Du sang coule à flots de sa bouche. Il gargouille puis devient silencieux, lance ses pieds une fois vers l'avant puis reste immobile.

Les deux hommes essuient les lames sur une jambe du pantalon d'Allyn et rangent leurs couteaux. Ils ne regardent pas une seule fois de mon côté. C'est comme si je n'étais pas là, et d'une certaine façon c'est le cas. Ils prennent leurs chariots de supermarché et disparaissent dans l'obscurité. J'enclenche une vitesse de ma Corolla, je traverse le parking puis, à la sortie, je prends à gauche Lucky Street et roule jusque chez moi.

* Mouvements de coordination des pieds inventés par le boxeur Mohamed Ali.

Je vais me coucher. Je m'assoupis rapidement et je dors sans faire de rêves presque jusqu'à midi le lendemain.

Une semaine ou peut-être dix jours plus tard, je suis en train de préparer le bar pour la nuit et j'astique les verres avec un torchon quand Enrique entre d'un pas nonchalant et se perche sur son tabouret habituel au comptoir. Bien qu'il n'ait jamais rien fait pour que je le trouve personnellement antipathique, je ne peux pas dire que je me réjouis de le voir. Il me rappelle des trucs auxquels je préférerais ne pas penser.

Je le salue d'un hochement de tête, et il dit : "Vodka martini. Refroidie au shaker. Avec de la Ketel One. Très peu de vermouth. Trois olives." Pendant que je confectionne son cocktail, il m'évalue du regard comme s'il m'auditionnait pour m'engager dans un club privé, et au moment où je pose le verre glacé encore vide devant lui, il dit : "J'apprécie votre façon de faire un martini, *man*.

— Merci."

Quand je commence à me retourner, il dit : "Z'avez tué quelqu'un, récemment ?

— C'est quoi, ces conneries ? Pourquoi vous me posez cette question ?

— Hé, *man*. Je suis désolé ! Je suis vraiment très désolé ! Vous vous rappelez que je vous ai dit, il y a quelque temps, que je pouvais pas m'empêcher de dire des trucs tout fort ? C'est comme si je savais même pas que je le dis, mais les autres l'entendent, ça leur fout les boules, ça les énerve. Je suis vraiment désolé, *man*.

— Laissez tomber, dis-je. Je suppose qu'on dit tous et qu'on fait tous des choses qu'on voudrait pas."

Je m'écarte pour terminer son martini. Je le lui apporte, je le secoue et je verse.

"Il y a des gens, reprend-il, qui disent pas et font pas les choses qu'ils voudraient.

— Ah bon? Comme qui?

— Comme l'autre p'tit Blanc à la con qui était ici la dernière fois, le mec au nœud pap qui voulait aller au Green Door. Vous vous souvenez de lui?

— C'est quoi, qu'il n'a pas dit?

— Que c'était un putain de raciste blanc, *man*. Il ne l'a pas dit, pas vrai? Il en avait pas besoin.

— Et c'est quoi, qu'il n'a pas fait?

— La réponse, vous la connaissez.

— Je suppose. Mais dites-la-moi.

— Il voulait baiser un gros garçon polynésien.

— Il aurait pu avoir ce qu'il voulait au Green Door.

— Na-an. Il s'est évanoui dans sa bagnole, dans le parking. Ce mec, *man*, il est jamais arrivé au Green Door", dit-il en riant. Il lève son verre et prend la première petite gorgée. Lorsque la vodka aussi froide que de la glace lui atteint le cerveau, il me balance un sourire comme s'il savait tout ce qu'il y avait à savoir sur moi, et il dit : "Et vous, *man*, vous avez jamais tué personne."

TABLE

Ouvrage réalisé par l'atelier graphique Actes Sud. Achevé d'imprimer
sur Roto-Page en novembre 2014 par l'Imprimerie Floch à Mayenne
pour le compte des éditions Actes Sud, Le Méjan, place Nina-Berberova,
13200 Arles.
Dépôt légal 1re édition : janvier 2015.
N° impr. : 87667.
(Imprimé en France)